이 책을 쓴 선생님들

이 책은 초등교육과정의 단계별 수준에 맞추기 위하여 학년별 교과과정에 맞는 글을 선정하였습니다. 학년별 교과과정에 따라 6단계로 나눈 것입니다. 1단계에서 6단계로 나아갈수록 지문과 문제의 수준이 차츰차츰 높아집니다. 이런 점에 따라 이 책은 자신의 학년에 맞추어 공부하는 편이 바른 방법이겠지요.그러나 독해력은 개인차가 존재하므로 독해력의 기초를 다진다는 의미로 볼 때 자신의 학년보다 조금 단계를 낮추어 시작하는 것이 효율적일 수 있습니다.

읽기는 종합적인 생각의 과정으로 글의 사실을 이해하고, 이해한 사실에 미루어 새로운 내용을 짐작해보고, 비판도 하면서, 새로운 다른 일에 적용할 줄도 알아야 합니다. 이점에 착안한 4번 미루어알기, 6번 적용하기 유형을 통하여 응용력과 창의력을 키울 수 있습니다.

문항 유형별로 갈래에 따른 출제 유형과 대응 전략을 7가지 독해법과 함께 소개하였으므로, 본격적인 학습에 들어가기 전에 잘 익혀두면 독해력 향상에 크게 도움이 됩니다. 특히 취약유형은 더욱 대응 전략을 잘 숙지하면서 문제를 푸는 습관이 필요합니다.

김갑주 선생님 서울대학교 국어국문학과 졸업, 장훈고등학교 국어교사, 대성학원과 종로학원 강사, 중고등 참고서 다수 집필, 초등 독해력 키움 집필

저는 초등학교에서 15년 가까이 근무하며 국어뿐만 아니라 모든 공부의 바탕에 문해력이 있다는 데에 확신을 가지게 되었습니다. 그런데 학생들이 문해력을 효과적으로 향상시키려면 다음 두 가지가 꼭 필요합니다.

첫째는 독해력입니다. 여러분은 이 교재의 회차별 7가지 문항 유형을 통해 주제찾기(1번유형) 및 글감 찾기(2번유형)부터 사실 이해하기(3번유형), 미루어 알기(4번유형), 세부 내용 찾기(5번유형), 적용하기(6번유형), 요약하기(7번유형)까지 연습할 수 있습니다. 둘째는 어휘력입니다. 회차별 지문뿐 아니라 <어휘 넓히기>, <어휘·어법 총정리>에서 여러분은 많은 낱말을 익히게 됩니다. 또 학년에 따라 맞춤법 및 한자어에 대한 영역까지 두루 살펴볼 수 있습니다.

이 교재를 꾸준히 공부하면 독해력과 어휘력을 함께 체계적으로 신장할 수 있습니다. 하지만 가장 좋은 것은 독서와 이 교재를 병행하는 것이겠지요. 어려움이 있더라도 끈기와 집중력을 발휘하여 최선을 다해 주기를 바랍니다.

김미나 선생님 경인교육대학교 사회과교육과 졸업, 서울대학교 국어교육과 석사 졸업, 초등 사회 교과서 문장 오류 분석, 이스라엘 초등 국어 교과서 한국어 번역 작업, EBS 뉴스의 우리말 순화 활동지 제작 등 다수의 사업 참여, 현재 세종 다빛초등학교 재직 중

구성과 학습 방법

구성에 따른 학습 방법을 알고 공부하면 효과를 높일 수 있습니다.
(표를 보는 순서 ① 주간 시작 → ② 독해 지문 → ③ 7가지 문항 유형 → ④ 어휘 학습 → ⑤ 주간 총정리)

② 독해 지문

'생각 열기'는 아래에서 읽어야 할 글(본문)에 대한 실마리를 담고 있어요.

문항별 점수에 따라 나의 점수를 계산해 봅니다.

본문에서는 국어 교과서의 글은 물론, 사회, 과학, 국활 등에서 학년단계에 맞는 글들을 선별하고, 통합교과적 소재에 대한 독해 능력을 올리는데 알맞은 글들을 최종적으로 엄선하여 수록했습니다.

본문에 나온 어려운 말에 어깨번호를 붙이고 그 말에 대해 자세히 설명해 둔 것이에요.

단계별 교과 과정에 맞추어 모든 교과서에서 통합 교과적인 글감을 선별하고 이것을 다시 인문, 사회, 과학, 산문문학, 운문문학으로 체계화하며 수록하였습니다.

'생각 열기'를 통하여 어떤 내용이 실려 있는지 대강 알고 읽으면 본문을 쉽게 파악할 수 있어요.

본문으로 실은 글의 종류가 무엇인지는 중요하지 않습니다. 다만 통합교과적인 글들을 읽는 훈련을 통하여 인문, 사회, 과학, 문학 등의 여러 종류의 글을 읽으면서 체계적인 독해능력을 기르도록해요.

본문을 읽으면서 어깨번호가 붙은 말이 있으면 본문의 아래에 있는 설명을 보아 도움을 받도록 해요.

③ 7가지 문항유형

'대학수학능력시험', 'SSAT(미국 중등학교 입학시험)' 등의 평가 유형을 참고하여 초등과정에서 효과적인 독해력 향상을 위한 독창적이고 체계적인 7가지 독해 비법을 유형으로 개발하였습니다.

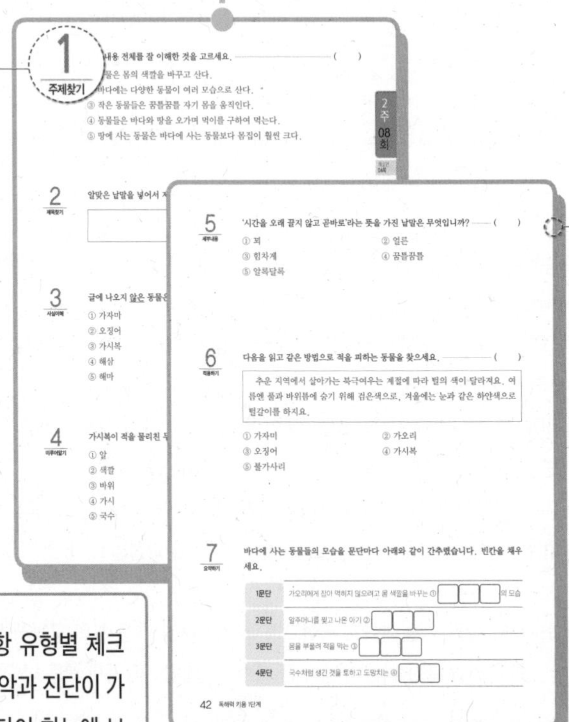

7가지 유형의 지정 문항을 매회 1개씩 배치하여 각 유형마다 40문항씩 익히게 됨으로써 체계적 독해력 향상이 가능합니다.

피드백효과

평가와 진단하기에 문항 유형별 체크를 하여 유형별 실력 파악과 진단이 가능하며, 글감별로도 진단이 한눈에 보이게 됩니다.

7가지 독해력 측정을 위해 [주제 찾기(1번), 글감이나 제목 찾기(2번), 사실 이해(3번), 미루어 알기(4번), 세부내용 파악(5번), 적용하기(6번), 요약하기(7번)]를 지정문항으로 반복함으로 유형별로 효과적인 해결능력을 올리도록 했습니다. 또한 모든 단계가 끝나는 자리(이 책의 끝)에 있는 평가 진단표를 작성하도록 하여 취약 유형을 파악하고 보완하도록 하였습니다.

4 어휘학습

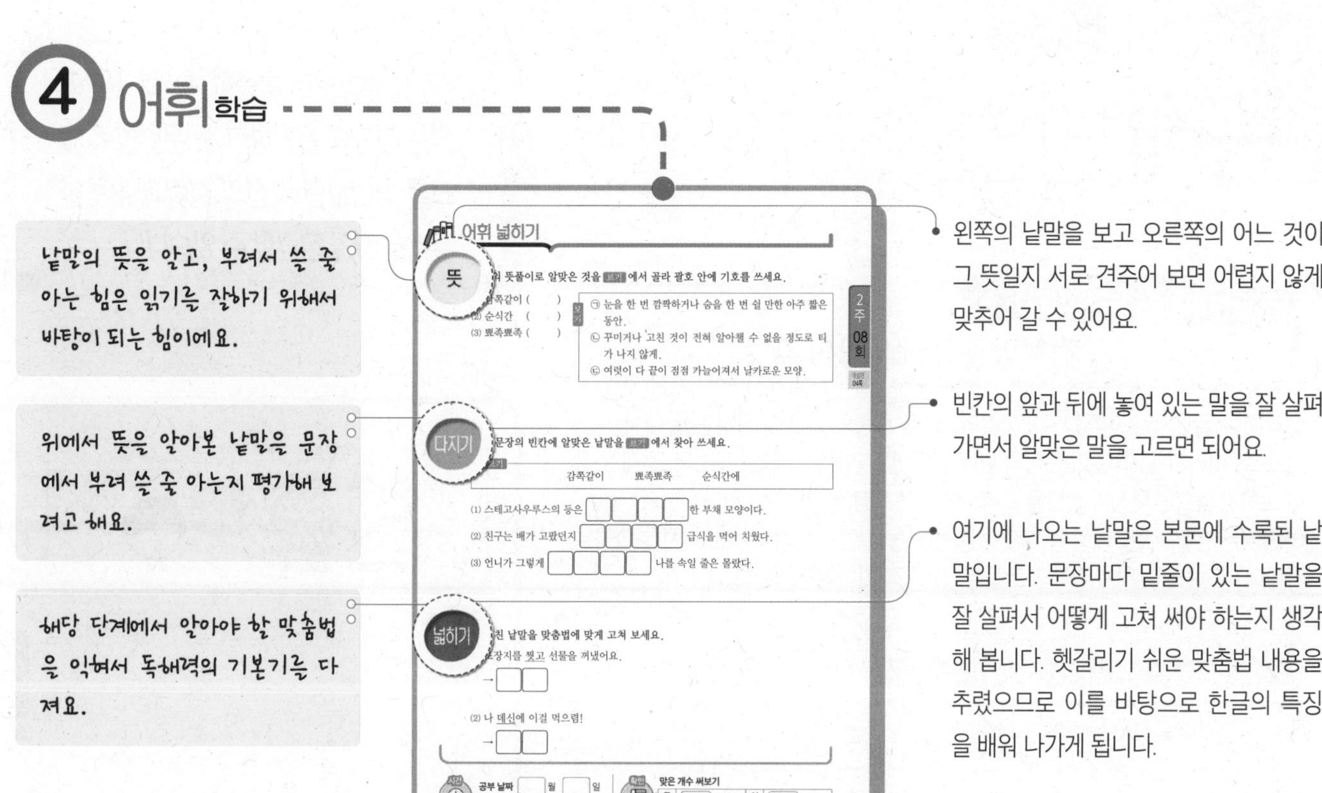

낱말의 뜻을 알고, 부려서 쓸 줄 아는 힘은 읽기를 잘하기 위해서 바탕이 되는 힘이에요.

위에서 뜻을 알아본 낱말을 문장에서 부려 쓸 줄 아는지 평가해 보려고 해요.

해당 단계에서 알아야 할 맞춤법을 익혀서 독해력의 기본기를 다져요.

- 왼쪽의 낱말을 보고 오른쪽의 어느 것이 그 뜻일지 서로 견주어 보면 어렵지 않게 맞추어 갈 수 있어요.
- 빈칸의 앞과 뒤에 놓여 있는 말을 잘 살펴 가면서 알맞은 말을 고르면 되어요.
- 여기에 나오는 낱말은 본문에 수록된 낱말입니다. 문장마다 밑줄이 있는 낱말을 잘 살펴서 어떻게 고쳐 써야 하는지 생각해 봅니다. 헷갈리기 쉬운 맞춤법 내용을 추렸으므로 이를 바탕으로 한글의 특징을 배워 나가게 됩니다.

1 주간시작

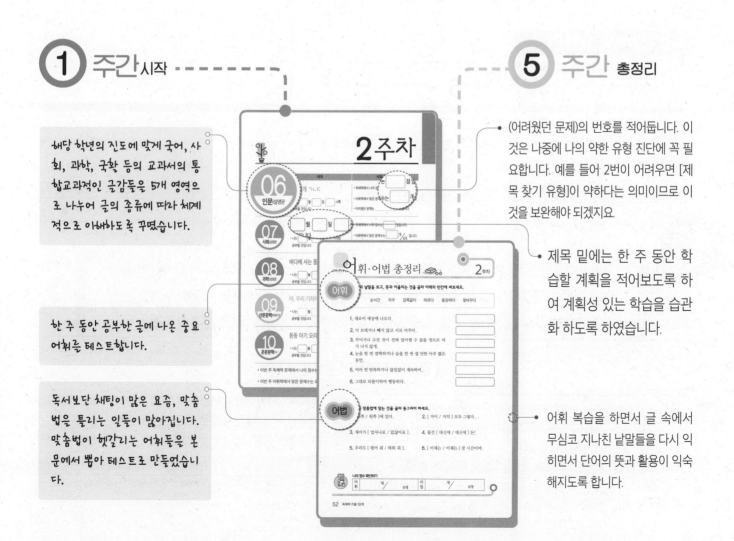

해당 학년의 진도에 맞게 국어, 사회, 과학, 국활 등의 교과서의 통합교과적인 글감들을 5개 영역으로 나누어 글의 종류에 따라 체계적으로 이해하도록 꾸몄습니다.

한 주 동안 공부한 글에 나온 중요 어휘를 테스트합니다.

독서보단 채팅이 많은 요즘, 맞춤법을 틀리는 일들이 많아집니다. 맞춤법이 헷갈리는 어휘들을 본문에서 뽑아 테스트로 만들었습니다.

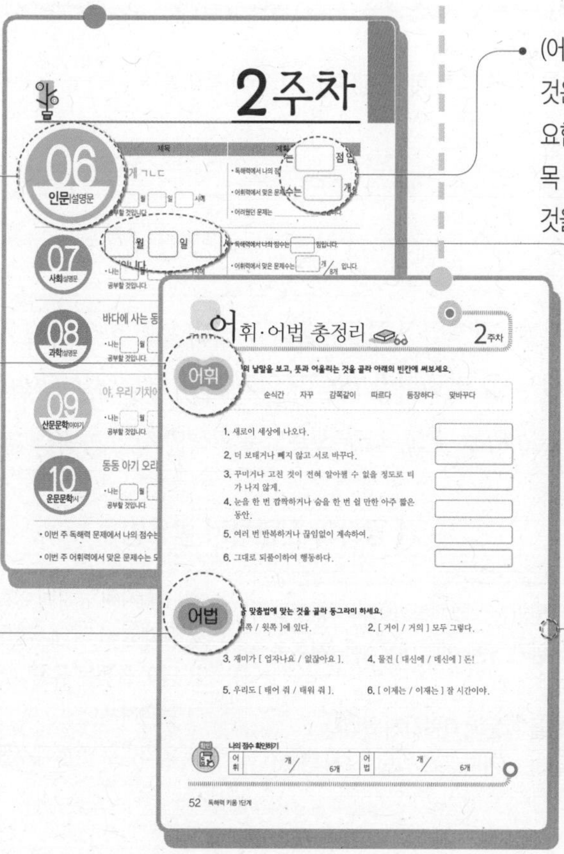

5 주간 총정리

- (어려웠던 문제)의 번호를 적어둡니다. 이것은 나중에 나의 약한 유형 진단에 꼭 필요합니다. 예를 들어 2번이 어려우면 [제목 찾기 유형]이 약하다는 의미이므로 이것을 보완해야 되겠지요.
- 제목 밑에는 한 주 동안 학습할 계획을 적어보도록 하여 계획성 있는 학습을 습관화 하도록 하였습니다.
- 어휘 복습을 하면서 글 속에서 무심코 지나친 낱말들을 다시 익히면서 단어의 뜻과 활용이 익숙해지도록 합니다.

7가지 유형 독해 방법

7가지 유형으로 학습한 후, 책 뒷면에 있는 평가와 진단하기에 문항별로 체크를 하여보면 자신의 실력과 부족한 부분을 자가 진단할 수 있습니다.

주제찾기 유형(1번)

글 전체의 중심 내용 찾기 문항

설명하는 글에서는 '이처럼', '이와 같이', '요컨대' 등의 말이, **주장하는 글**에서는 '그러므로', '따라서' 등의 말이 문장의 앞에 놓이면 주제문일 가능성이 높다. 주제 문장이 보이지 않으면 마지막 문단을 요약하여 주제 문장을 만들어야 한다.
이야기는 인물, 사건, 배경 중 무엇이 중심에 놓여 있는지 파악해보고, **시**는 말하는 사람이 어떤 느낌이나 생각에 사로잡혀 있는지 파악하여 정리한다.

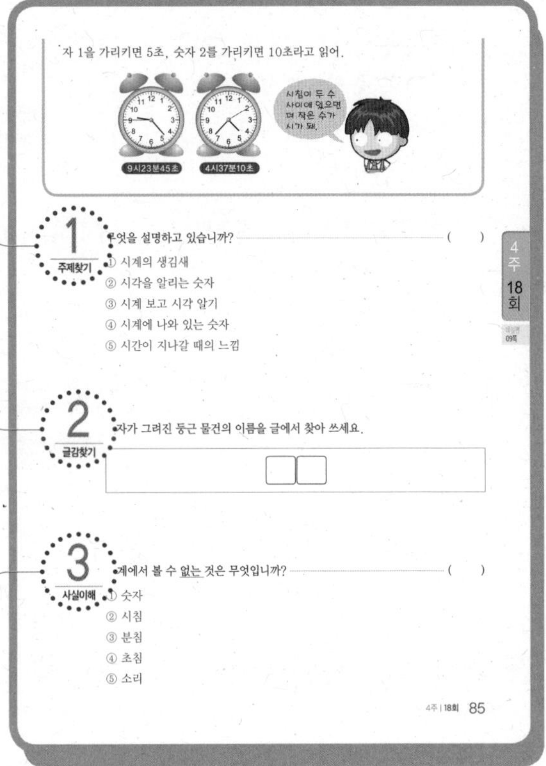

글감(제목)찾기 유형(2번)

글에서 반복하여 나타난 말이나, 글의 대상이 된 것

설명하는 글과 **주장하는 글**에서는 여러 번 반복하여 나타난 글의 중심 낱말을 찾아내는 것이 가장 중요하고, 이야기에서는 인물, 사건, 배경 중 무엇에 초점을 두었는지를 확인한다. **시**는 작품을 음미해본 다음, 무엇을 대상으로 하여 내용을 이루었는지 따져본다.

사실이해 유형(3번)

글에 나타난 사실을 있는 그대로 이해했는지 확인

설명하는 글과 **주장하는 글**에서는 원인과 결과의 관계, 주장과 근거 등에 유의하면서 글에 나타난 사실을 이해했는지 확인한다.
이야기에서는 사건이 글에 나타난 것을 따져보도록 하고, **시**에서는 표현의 특징을 중심으로 사실을 이해한다.

국어 능력 향상은 체계적인 훈련이 꼭 필요합니다. 국어 능력 향상 비법 7가지[주제 찾기(1번), 글감이나 제목 찾기(2번), 사실 이해(3번), 미루어 알기(4번), 세부내용 파악(5번), 적용하기(6번), 요약하기(7번)]를 통해 글의 이해, 분석, 추리, 적용의 종합적인 사고 능력을 체계적으로 키우세요.

[평가와 진단하기 활용법]

※ 이 책의 모든 문항과 유형은 동일 번호로(1번→주제찾기, 2번→제목(글감)찾기, 3번→사실이해, 4번→미루어 알기, 5번→세부내용 6번→적용하기, 7번→요약하기) 통일되어 있습니다.
※ 이 표는 자신의 취약 영역과 취약 유형을 한눈에 파악하게 합니다.
(자주 틀리거나 취약하다고 생각하는 유형은 7가지 독해 방법을 다시 한번 숙지하고 다음 단계로 넘어가길 바랍니다.)

1. 각 회차의 유형에 정답을 맞혔으면 'O'표를 틀렸으면 '×'표를 하세요.
2. 제재별 '소계'에 유형별로 맞은('O'표) 개수를 쓰세요.
3. 많이 틀리는 유형이 한눈에 보이므로 자신의 부족한 부분을 진단하고 보완하세요.
4. 영역별로 맞힌 개수를 적고, 부족한 부분을 파악해 보세요.

> *글을 읽고 문제를 풀 때는, 가장 먼저 '사실이해 유형(3번)'을 유념해 보아 두어야 합니다. 글 읽기는 주어진 글의 사실 이해로부터 출발해야 하기 때문입이다.*

4 미루어알기

시계에 나와 있는 가장 작은 수와 가장 큰 수는 각각 무엇입니까? ( )

① 1, 12
② 2, 11
③ 3, 10
④ 4, 9
⑤ 5, 8

5 세부내용

분침이 9에 있으면 몇 분입니까? ( )

① 15분
② 25분
③ 35분
④ 45분
⑤ 55분

6 적용하기

2시 30분일 때 시침은 어디에 있나요? ( )

① 1과 2 사이
② 2와 3 사이
③ 3과 4 사이
④ 4와 5 사이
⑤ 5와 6 사이

7 요약하기

문단의 주요 내용을 간추렸습니다. 빈칸을 채우세요.

1문단	몇 ① ☐ 인지 읽기
2문단	몇 ② ☐ 인지 읽기
3문단	몇 ③ ☐ 인지 읽기

86 독해력 키움 1단계

미루어 알기(추론) 유형(4번)

글에 나타난 사실에 미루어 짐작해 본 내용

설명하는 글과 **주장하는 글**에서는 선택지에 나타난 내용이, 글의 어떤 내용으로부터 이끌어낸 생각인지 찾아보고, **이야기**에서는 인물의 말이나 행동, 사건의 진행 과정 등을 파악하면서 추리해보며, **시**에서는 고백하는 말 뒤에 숨겨진 느낌이나 생각을 떠올려본다.

세부내용 유형(5번)

글의 모양, 어휘의 뜻, 어법, 글과 관련된 배경 지식 등

설명하는 글과 **주장하는 글**에서는 낱말의 뜻, 접속하는 말의 구실, 고사성어 등을 알아두고, **이야기**는 글을 읽으면서 배경을 알려주는 말이 나오면 어떤 시간이나 장소인지 정리하며, **시**는 비유나 상징에 숨어 있는 뜻을 새길 수 있어야 한다.

적용하기 유형(6번)

글의 내용을 바탕으로 새로운 생각을 떠올려보거나, 다른 일에 응용할 수 있는 능력

설명하는 글과 **주장하는 글**에서는 글을 읽어서 알게 된 내용을 다른 일에 적용할 수 있는지 알아보는 문항이 출제되고 **이야기**는 글에 나타난 대로 새로운 인물이나 사건, 배경을 그려 보일 수 있는지 묻는다. **시**는 말하는 사람의 느낌이나 생각을 정확히 이해 하는지 묻는다.

요약하기 유형(7번)

글의 전체 또는 주요 내용을 간추리는 능력

설명하는 글과 **주장하는 글**에서는 중심 내용을 간추릴 수 있는지 측정하려는 문항이다. **이야기**는 '사실이해 3'처럼 주요한 사건을 다시 확인하는 유형이 출제되기가 쉽다. 이유형은 **시**에서는 내용 흐름에 따라 중심 내용을 정리한다.

유형별로 한눈에 실력을 파악할 수 있게 하였습니다.
예 인문제재에서 주제찾기 유형(1번)은 8문항 중 몇 개를 맞고 틀렸는지 한 눈에 파악이 됩니다.

글의 갈래를 표시했습니다. 인문, 사회, 과학, 이야기, 시의 5개 영역의 정답률을 표 하나에 알 수 있어 자신의 취약 글의 갈래가 어떤 것인지 한 눈에 알 수 있습니다.
예 인문제재 56문항 중 몇 개를 틀렸는지 한 눈에 파악이 되어 자신의 부족한 점을 보충할 수 있습니다.

모든 글에서 자신의 부족한 유형이 무엇인지 한 눈에 파악할 수 있습니다.
예 적용하기 유형(6번)에서 총 40문항 중 정답은 몇 개고 오답은 몇 개인지를 알아서 독해 실력을 자가 진단합니다.

1 단계

목차

『독해력키움』은,

본문이든 그 아래의 문항이든 아이들이 스스로의 힘으로 이해할 수 있도록 꾸몄습니다. 되도록 간섭은 줄이고, 부모님이나 선생님, 그 밖의 다른 분들께서 아이를 도와주실 때는 다음에 유의하십시오.

01

글이나 문제에서 뜻을 모르는 낱말이 있다고 할 때는, 그 낱말의 앞이나 뒤에 놓인 다른 말과 연결하여 미루어 뜻을 떠올려 볼 수 있도록 힘을 키워주십시오. 섣불리 사전을 찾도록 한다거나 글 전체, 문제 전부를 풀이해주었다가는 의존하는 버릇만 들이게 할 것입니다.

02

회가 끝날 때마다 붙어있는 문항 풀이의 결과를 자주 확인하여, 아이의 약점을 파악하고 자주 틀리거나 이해가 부족한 문항 유형을 중심으로, 그 문항 유형의 어려움을 극복하기 위해서 무엇을 고치고 보완해야 하는지 깨닫게 해주십시오. 고칠 점, 보완해야 할 점은 『독해력키움』의 해설을 보면 잘 나와 있습니다.

03

주관식 문제의 채점 기준을 예시해두겠습니다.
한 낱말이나 빈칸이 정해진 하나의 구절로 답하는 문제에서는 모범 답안과 모양과 내용이 일치하는 답안만 만점으로 합니다. 모양은 다르지만 빈칸의 수가 같고 내용이 비슷한 답안은 비슷한 정도에 따라 점수를 낮추어 채점합니다.
여러 개의 낱말로 답하는 문제에서는 배점에 문항 수를 나누어 정답에 비례하여 채점합니다.
하나의 구절이나 문장으로 답하는 문제에서는 미리 주어진 조건을 고려하여 모범 답안의 내용과 일치하는 정도에 따라 점수를 주어야 할 것입니다. 그 기준은 도와주는 사람이 정해야 합니다.

1주차

회차 / 영역	제목	계획 및 점검
01 인문|설명문	말과 글 • 나는 [ ]월 [ ]일 [ ]시에 공부할 것입니다.	• 독해력에서 나의 점수는 [ ]점입니다. • 어휘력에서 맞은 문제수는 [ ]개/8개 입니다. • 어려웠던 문제는 ______ 번입니다.
02 인문|설명문	인사할까? 말까? • 나는 [ ]월 [ ]일 [ ]시에 공부할 것입니다.	• 독해력에서 나의 점수는 [ ]점입니다. • 어휘력에서 맞은 문제수는 [ ]개/8개 입니다. • 어려웠던 문제는 ______ 번입니다.
03 과학|설명문	숫자 세기 • 나는 [ ]월 [ ]일 [ ]시에 공부할 것입니다.	• 독해력에서 나의 점수는 [ ]점입니다. • 어휘력에서 맞은 문제수는 [ ]개/8개 입니다. • 어려웠던 문제는 ______ 번입니다.
04 산문문학|이야기	곰과 여우 • 나는 [ ]월 [ ]일 [ ]시에 공부할 것입니다.	• 독해력에서 나의 점수는 [ ]점입니다. • 어휘력에서 맞은 문제수는 [ ]개/8개 입니다. • 어려웠던 문제는 ______ 번입니다.
05 운문문학|시	밤길 • 나는 [ ]월 [ ]일 [ ]시에 공부할 것입니다.	• 독해력에서 나의 점수는 [ ]점입니다. • 어휘력에서 맞은 문제수는 [ ]개/8개 입니다. • 어려웠던 문제는 ______ 번입니다.

• 이번 주 독해력 문제에서 나의 점수는 평균 [ ]점입니다.

• 이번 주 어휘력에서 맞은 문제수는 모두 [ ]개입니다.

01

'말'과 '글'은 같을까요, 다를까요? 내가 언제부터 말을 하게 되었고 몇 살 때 글자를 쓸 수 있었는지 생각해 봅시다. 때가 다 다르다면 '말'과 '글'은 다르다고 할 수 있겠지요? 이 글은 말과 글은 사는 곳에 따라 달라진다는 것을 설명하고, 우리가 쓰는 한글은 세종 임금이 만드셨음을 설명하고 있어요.

1. 15점 2. 15점 3. 10점 4. 15점 5. 15점 6. 15점 7. 15점

㉠생각이나 느낌을 소리를 통해 다른 사람에게 전하는 것을 '말'이라고 해요. 생각이나 느낌을 글자를 통해 다른 사람에게 전하는 것을 '글'이라고 해요. 사람들이 사는 곳이 달라지면 대개 말과 글이 달라집니다. 우리나라 사람들이 쓰는 말과 글이 중국 사람들이 예부터 써온 말과 글과 다른 것을 보면 알 수 있지요. 우리나라 사람들은 우리말과 우리 글자인 한글을 씁니다. 중국 사람들은 중국말과 중국 글자인 한자를 씁니다.

우리나라 사람들이 아득한 옛날부터 한글을 썼던 것은 아니에요. 그때도 우리말은 있었지만, 우리 글자인 한글은 아직 만들어지지 않았어요. 그래서 이웃 나라 중국에서 쓰고 있던 한자를 빌려서 우리말을 쓰려고 했어요. 이렇게 말과 글이 다르면 얼마나 불편하겠어요. 이런 불편을 덜고 우리의 생각과 느낌을 마음대로 나타내기 위해 한글이 만들어졌답니다. 지금으로부터 한 600년 전쯤에, 조선 시대의 세종 임금이 그런 큰일을 했어요.

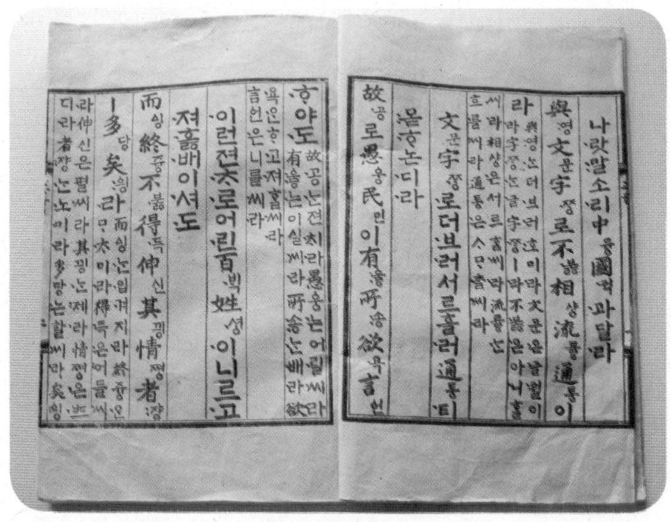

〈훈민정음 언해본〉

1

주제찾기

글의 바탕에 놓여 있는 생각은 무엇입니까? ( )

① 말이 늦게 생겼다.
② 글이 먼저 생겼다.
③ 말과 글은 다르다.
④ 우리나라에 글자가 없다.
⑤ 중국 글자가 우리 글자보다 늦게 생겼다.

2

글감찾기

글감 두 가지를 글에서 찾아 쓰세요.

[ ] 과 [ ]

3

사실이해

말과 글은 무엇을 전한다고 했습니까? ( )

① 생각과 느낌
② 소리와 생김새
③ 노래와 이야기
④ 사는 장소와 시간
⑤ 살면서 보고 들은 것

4

미루어알기

글에서 짐작하여 알 수 있는 내용은 어느 것입니까? ( )

① 모든 소리는 말이다.
② 말과 글은 같은 뜻이다.
③ 모든 나라에 글자가 있다.
④ 글자가 없으면 살기에 불편하다.
⑤ 우리나라의 글자는 중국과 같았다.

5
세부내용

중국 글자의 이름은 무엇입니까? ( )

① 한글
② 자음
③ 소리
④ 받침
⑤ 한자

6
적용하기

㉠과 관련하여 다음 빈칸을 알맞게 채우세요.

내 동생은 5살입니다.
동생은 ① [ ] 은 잘하지만, 아직 ② [ ] 은 쓰지 못해요.

7
요약하기

말과 글을 다음과 같이 간추렸습니다. 빈칸을 채우세요.

말	생각이나 느낌을 ① [ ][ ] 를 통해 다른 사람에게 전하는 것
글	생각이나 느낌을 ② [ ][ ] 를 통해 다른 사람에게 전하는 것

어휘 넓히기

뜻 낱말의 뜻풀이로 알맞은 것을 보기에서 골라 괄호 안에 기호를 쓰세요.

(1) 아득하다 (　　)
(2) 불편하다 (　　)
(3) 덜다 (　　)

보기
㉠ 얼마를 떼어 줄이거나 적게 하다.
㉡ 어떤 것을 사용하거나 이용하는 것이 거북하거나 괴롭다.
㉢ 까마득히 오래되다.

다지기 아래 문장의 빈칸에 알맞은 낱말을 보기에서 찾아 쓰세요.

보기
덜었다　　불편하다　　아득하다

(1) 동생의 병이 다 나아 걱정을 □□□.
(2) 자라고 나니 어릴 때의 기억이 □□□□.
(3) 이 의자는 너무 딱딱해서 앉기에 □□□□.

넓히기 밑줄 친 낱말을 맞춤법에 맞게 고쳐 보세요.

(1) 한글이 만들어지기 전에는 <u>한짜</u>를 빌려서 썼어요.
→ □□

(2) 한글은 우리 <u>글짜</u>입니다.
→ □□

시간 공부 날짜 [　] 월 [　] 일
푸는데 걸린 시간 [　] 분

확인 맞은 개수 써보기

독해	[　] 개/7개	어휘	[　] 개/8개

02

인사는 사람과 사람 사이에 가장 기본이 되는 예절입니다. 다른 사람이 있다는 것을 알아채면서 내가 있다는 것을 알리는 방법이기 때문이지요.

1. 15점 2. 15점 3. 10점 4. 15점 5. 15점 6. 15점 7. 15점

길에서 어른을 만나면 두 손을 모으고
"안녕하세요?"
예쁘게 인사하라고?
싫어 싫어, 내 마음이야. 나는 이렇게 인사할 거야.
(까꿍 까꿍)
엄마가 맛있는 간식을 주면 냠냠 먹기 전에
"잘 먹겠습니다!"
예쁘게 인사하라고?
싫어 싫어, 내 마음이야.
나는 이렇게 인사할 거야.
(어흥! 어흥!)
그런데 저게 뭐야?
깜짝 놀라 나도 모르게…….
"안녕하세요? 난 솔이에요."
"안녕하세요? 난 호미예요."
"이 빵 먹을래요?" / "잘 먹겠습니다!"
"이 사과 먹을래요?" / "잘 먹겠습니다."
예쁘게 인사했더니 / 생글생글 기분이 참 좋아요.

1
주제찾기

글에서 무엇이 좋은 일이라고 했습니까? ( )

① 어른 만나기
② 두 손 모으기
③ 맛있는 간식 먹기
④ 예쁘게 인사하기
⑤ 기분 좋아지기

2
글감찾기

글감으로 삼은 낱말을 글에서 찾아 쓰세요.

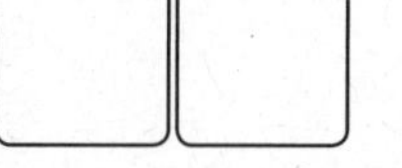

3
사실이해

예쁜 인사말은 어느 것입니까? ( )

① "안녕하세요?"
② "싫어 싫어"
③ "까꿍 까꿍"
④ "어흥! 어흥!"
⑤ "깜짝 놀라!"

4
미루어알기

예쁘게 인사하면 어떻게 된다고 했나요? ( )

① 반가워요.
② 내가 놀라워요.
③ 어른이 싫어져요.
④ 빵을 잘 먹어요.
⑤ 기분이 좋아져요.

5 세부내용

예쁘게 웃는 모습을 흉내 낸 말은 어느 것입니까? ( )

① 카랑카랑
② 말랑말랑
③ 생글생글
④ 덜렁덜렁
⑤ 딸랑딸랑

6 적용하기

알맞은 인사말을 하나씩 빈칸에 쓰세요.

이웃의 어른을 만났을 때	①
할머니에게 선물을 받았을 때	②
우리 집에 오셨던 할아버지가 가실 때	③
친구와 다툰 뒤에 사과할 때	④

7 요약하기

예쁜 인사, 미운 인사를 아래와 같이 간추렸습니다. 빈칸에 알맞은 말을 쓰세요.

① □□ 인사	미운 인사
② □□□□□?	까꿍 까꿍
잘 먹겠습니다!	③ □□□□

1주 02회

해설편 01쪽

어휘 넓히기

뜻 낱말의 뜻풀이로 알맞은 것을 보기 에서 골라 괄호 안에 기호를 쓰세요.

(1) 냠냠 (　　)
(2) 깜짝 (　　)
(3) 생글생글 (　　)

보기
㉠ 갑자기 놀라는 모양.
㉡ 주로 어린아이가 음식을 맛있게 먹는 소리를 나타내는 말.
㉢ 눈과 입을 살며시 움직이며 소리 없이 정답게 자꾸 웃는 모양.

다지기 아래 문장의 빈칸에 알맞은 낱말을 보기 에서 찾아 쓰세요.

보기
깜짝　　생글생글　　냠냠

(1) 동생은 입 주위에 크림을 묻히면서 케이크를 맛있게 □□ 먹는다.
(2) 내 짝은 늘 □□□□ 잘 웃는다.
(3) 아기가 천둥소리에 □□ 놀라 엉엉 울기 시작했다.

넓히기 밑줄 친 낱말을 맞춤법에 맞게 고쳐 보세요.

(1) 실어, 내 마음이야.
→ □□

(2) 나는 이러케 인사할 거야.
→ □□□

시간 공부 날짜 □ 월 □ 일
푸는데 걸린 시간 □ 분

확인 맞은 개수 써보기

독해	개/7개	어휘	개/8개

03

하나부터 다섯까지 셀 수 있나요? 다음 글을 읽고 하나에 하나씩 더해가며 다섯까지 세어 봅시다.

점수 계산 1. 15점 2. 15점 3. 10점 4. 15점 5. 15점 6. 15점 7. 15점

근처에 다른 것이 없이 혼자일 때, '하나'라고 부릅니다.

하나에 하나 더 많으면 '둘'입니다.

둘에 하나 더 많으면 '셋'입니다.

셋에 하나 더 많으면 '넷'입니다.

넷에 하나 더 많으면 '다섯'입니다.

㉠하나는 1이라고 쓰고 '일'이라고 읽어요.

둘은 2라고 쓰고 '이'라고 읽어요.

셋은 3이라고 쓰고 '삼'이라고 읽어요.

넷은 4라고 쓰고 '사'라고 읽어요.

다섯은 5라고 쓰고 '오'라고 읽어요.

이번에는 ㉡울타리[1] 밖에 있는 원숭이 다섯 마리를 울타리 안에 넣기로 해요.

원숭이 한 마리를 우리[2]에 넣으면 넷이 남아요.

원숭이 한 마리를 또 우리에 넣으면 셋이 남아요.

원숭이 한 마리를 또 우리에 넣으면 둘이 남아요.

원숭이 한 마리를 또 우리에 넣으면 하나 남아요.

❶ 울타리 풀이나 나무를 엮어 담 대신에 경계를 지어 막는 물건. ❷ 우리 짐승을 가두어 두는 곳.

1
주제찾기

어떤 물음에 답한 글입니까? ( )

① 뎃셈은 무엇입니까?
② 10은 어떤 수입니까?
③ 5는 어떻게 읽어야 하나요?
④ 울타리 안과 밖의 수는 몇인가요?
⑤ 하나, 둘, 셋, 넷, 다섯은 어떤 수입니까?

2
제목찾기

빈칸을 채워 글의 제목을 붙이세요.

3
사실이해

가장 많은 수는 어느 것입니까? ( )

① 하나
② 둘
③ 셋
④ 넷
⑤ 다섯

4
미루어알기

㉠에서 설명한 것은 무엇입니까? ( )

① 숫자 쓰기와 읽기
② 수와 수를 더하기
③ 수와 수를 빼기
④ 수와 수를 나누기
⑤ 수와 수를 곱하기

5

세부내용

ⓒ을 뺄셈식으로 나타낸 것은 어느 것인가요? ( )

① 5-0=5
② 5-1=4
③ 5-2=3
④ 5-3=2
⑤ 5-4=1

6

적용하기

아래 문장을 뺄셈식으로 나타낸 것은 어느 것인가요? ( )

울타리 안에 원숭이가 다섯 마리 있습니다.
원숭이 네 마리를 울타리 밖으로 내보내면 울타리 안에는 몇 마리가 남을까요?

① 5-0=5
② 5-1=4
③ 5-2=3
④ 5-3=2
⑤ 5-4=1

7

요약하기

글을 다음과 같이 간추렸습니다. 빈칸을 채우세요.

수	쓰기	읽기
하나	1	① □
둘	2	② □
③ □	3	삼
넷	4	④ □
⑤ □□	5	오

어휘 넓히기

해설편 02쪽

뜻 **낱말의 뜻풀이로 알맞은 것을 보기 에서 골라 괄호 안에 기호를 쓰세요.**

(1) 근처 (　　　)
(2) 이번 (　　　)
(3) 우리 (　　　)

보기
㉠ 가까운 곳.
㉡ 짐승을 가두어 기르는 곳.
㉢ 곧 돌아오거나 이제 막 지나간 차례.

다지기 **아래 문장의 빈칸에 알맞은 낱말을 보기 에서 찾아 쓰세요.**

보기
우리　　근처　　이번

(1) [　][　] 연주회는 참 감동적이었다.
(2) 삼촌은 양떼를 [　][　]에 몰아넣으셨다.
(3) 우리 집 [　][　]에는 공원이 많다.

넓히기 **밑줄 친 낱말을 맞춤법에 맞게 고쳐 보세요.**

(1) 근처에 다른 것이 <u>업씨</u> 혼자일 때.
→ [　][　]

(2) 또 우리에 <u>너으면</u> 하나 남아요.
→ [　][　][　]

시간 공부 날짜 [　] 월 [　] 일
푸는데 걸린 시간 [　] 분

확인 맞은 개수 써보기

독해	[　] 개/7개	어휘	[　] 개/8개

04

혼자서 모두 차지하려고 욕심을 부리는 사람을 본적이 있나요? 동물들이 등장하는 이야기를 읽고, 나도 저런 잘못을 저지르지 않았는지 한 번 돌이켜 보세요.

점수 계산 1. 15점 2. 15점 3. 10점 4. 15점 5. 15점 6. 15점 7. 15점

곰이 골짜기에서 가재를 잡고 있었습니다.

꾀 많은 여우가 슬금슬금 다가갑니다.

"곰아, 저 나무에 있는 꿀을 따서 나누어 먹지 않을래?"

곰이 여우의 뒤를 성큼성큼 따라갑니다.

'헤헤, 맛있겠다. 나 혼자 먹어야지.'

여우가 꾀를 냅니다.

"곰아, 네가 나무 위로 올라가 벌집을 따서 던져. 그러면 내가 받을게."

곰이 나무 위로 올라가 벌집을 따서 아래로 던집니다.

여우가 벌집을 받아 들고는 빠르게 도망칩니다.

벌들이 여우를 왱왱 쫓아가며 침을 쏘아 댑니다.

따끔따끔 아픈 여우가 엉엉 소리 내어 웁니다.

1 주제찾기

어떤 생각이 드는 이야기입니까? ( )

① 남을 도우면 기쁘다.
② 서로 돕고 지내야 한다.
③ 욕심을 부리면 벌을 받는다.
④ 큰 동물은 작은 동물을 괴롭힌다.
⑤ 나무 위에 올라가면 나무를 흔든다.

2 제목찾기

이야기의 두 동물을 빈칸에 넣어 글의 제목을 붙이세요.

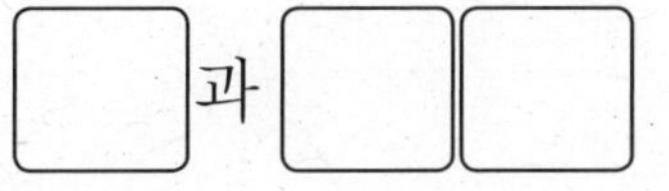

3 사실이해

곰에게 말을 건네는 동물은 누구입니까? ( )

① 벌
② 가재
③ 연어
④ 여우
⑤ 늑대

4 미루어알기

여우는 왜 도망쳤습니까? ( )

① 곰이 무서워서
② 다른 여우가 와서
③ 벌집이 꽤 무거워서
④ 벌들의 침을 피하려고
⑤ 꿀을 혼자서 먹으려고

5 세부내용

크게 우는 소리는 어느 것입니까? ( )

① 엉엉
② 왱왱
③ 씽씽
④ 슬금슬금
⑤ 성큼성큼

6 적용하기

여우가 욕심을 부리지 않았다면 이야기는 어떻게 달라졌을까요? ( )

① 곰이 혼자 꿀을 먹는다.
② 여우가 혼자 꿀을 먹는다.
③ 곰과 여우가 서로 먹겠다고 다툰다.
④ 곰과 여우가 꿀을 사이좋게 나누어 먹는다.
⑤ 곰과 여우가 꿀을 찾지 못하고 집으로 돌아간다.

7 요약하기

이야기를 간추렸습니다. 빈칸을 채우세요.

① ☐과 ② ☐☐는 벌집을 따서 ③ ☐을 나누어 먹기로 했습니다. 그런데 여우가 혼자 먹으려고 욕심을 내어 ④ ☐☐을 들고 도망쳤어요. 벌들이 여우를 쫓아가며 침을 쏘았고, 여우는 엉엉 소리 내어 울었답니다.

어휘 넓히기

뜻 낱말의 뜻풀이로 알맞은 것을 보기에서 골라 괄호 안에 기호를 쓰세요.

(1) 슬금슬금 (　　)
(2) 성큼성큼 (　　)
(3) 따끔따끔 (　　)

보기
㉠ 남이 알아차리지 못하도록 눈치를 살펴 가면서 슬며시 행동하는 모양.
㉡ 다리를 잇따라 높이 들어 크게 떼어 놓는 모양.
㉢ 찔리거나 꼬집히는 것처럼 자꾸 아픈 느낌.

다지기 아래 문장의 빈칸에 알맞은 낱말을 보기에서 찾아 쓰세요.

보기
따끔따끔　　슬금슬금　　성큼성큼

(1) 황새는 다리를 □□□□ 떼며 논으로 들어갔다.
(2) 게가 바위 틈새에서 쏙 나왔다가 □□□□ 도망쳤다.
(3) 벌레 물린 곳이 □□□□ 아프다.

넓히기 밑줄 친 낱말을 맞춤법에 맞게 고쳐 보세요.

(1) 꿀을 따서 나누어 먹지 <u>안을래</u>?

→ □□□

(2) 네가 던지면 내가 <u>받을께</u>.

→ □□□

시간 공부 날짜 □ 월 □ 일
푸는데 걸린 시간 □ 분

확인 맞은 개수 써보기

독해	개/7개	어휘	개/8개

05

다음 시에서 함께 있어서 외롭지 않게 해주는 것은 무엇인지 알아봐요.

1. 15점 2. 15점 3. 10점 4. 15점 5. 15점 6. 15점 7. 15점

어두운 밤길에서
넘어질까 봐,
달님이 따라오며
비추어 줘요.

혼자서 걸어가면
심심할까 봐,
개구리 개굴개굴
노래해 줘요.

1
주제찾기

무엇을 노래하고 있나요? ( )

① 외롭지 않아요.
② 달님이 웃어요.
③ 밤길에 넘어져요.
④ 혼자서 심심해요.
⑤ 개구리가 노래해요.

2
제목찾기

시에서 말하고 있는 사람이 걸어가고 있는 곳을 찾아 제목을 붙여 보세요.

3
사실이해

심심하지 않도록 곁에서 노래해 준 동물을 고르세요. ( )

① 개구리
② 부엉이
③ 병아리
④ 강아지
⑤ 고양이

4
미루어알기

달님은 말하는 사람의 어느 쪽에 있습니까? ( )

① 앞
② 뒤
③ 왼쪽
④ 오른쪽
⑤ 머리 위

5 세부내용

흉내 내는 소리로 이루어진 말은 어느 것입니까? ············ (   )

① 어두운
② 달님이
③ 혼자서
④ 개구리
⑤ 개굴개굴

6 적용하기

이 시를 흉내 내어 무서운 밤길을 걸었던 경험을 써 보았습니다. 빈칸에 알맞은 말을 쓰세요.

밤길을 혼자 가면 □□□□ 봐, 아빠가 내 손 잡고 함께 걸었다.

7 요약하기

시의 내용을 아래와 같이 간추렸습니다. 빈칸을 채우세요.

어두운 밤길에 넘어지지 않도록 ① □□이 따라오며 비추어 줘요. 심심하지 않도록 ② □□□가 개굴개굴 노래해 줘요.

어휘 넓히기

해설편 03쪽

뜻 낱말의 뜻풀이로 알맞은 것을 보기에서 골라 괄호 안에 기호를 쓰세요.

(1) 밤길 (　　)
(2) 비추다 (　　)
(3) 심심하다 (　　)

보기
㉠ 하는 일이 없어 지루하고 재미가 없다.
㉡ 빛을 보내 밝게 하다.
㉢ 밤에 걷는 길.

다지기 아래 문장의 빈칸에 알맞은 낱말을 보기에서 찾아 쓰세요.

보기: 비추는　밤길　심심한

(1) □□을 걷다가 돌부리에 걸려 넘어졌다.
(2) 화분은 햇빛이 잘 □□□ 곳에 둬야 한다.
(3) □□□ 동생은 숙제하는 형에게 같이 놀자고 졸랐다.

넓히기 밑줄 친 낱말을 맞춤법에 맞게 고쳐 보세요.

(1) 달님이 따라오며 비추어 져요.
→ □□

(2) 혼자서 걸어가면 심심할까 바,
→ □

시간 공부 날짜 □ 월 □ 일
푸는데 걸린 시간 □ 분

확인 맞은 개수 써보기

독해	□ 개/7개	어휘	□ 개/8개

어휘·어법 총정리

1주차

어휘 **보기**의 낱말을 보고, 뜻과 어울리는 것을 골라 아래의 빈칸에 써보세요.

보기	아득하다	깜짝	생글생글	따끔따끔	심심하다	성큼성큼

1. 까마득히 오래되다. ( )
2. 눈과 입을 살며시 움직이며 소리 없이 정답게 자꾸 웃는 모양. ( )
3. 갑자기 놀라는 모양. ( )
4. 다리를 잇따라 높이 들어 크게 떼어 놓는 모양. ( )
5. 찔리거나 꼬집히는 것처럼 자꾸 아픈 느낌. ( )
6. 하는 일이 없어 지루하고 재미가 없다. ( )

어법 다음 중 맞춤법에 맞는 것을 골라 동그라미 하세요.

1. [한그리 / 한글이] 배우기 쉽다.
2. 먹지 [안을래 / 않을래]?
3. [한짜 / 한자]는 중국 글자다.
4. [마니 / 많이] 먹어라.
5. [넣으면 / 너으면] 된다.
6. 아무 생각도 [없이 / 업씨].

나의 점수 확인하기

어휘	개 / 6개	어법	개 / 6개

2주차

회차 / 영역	제목	계획 및 점검
06 인문 | 설명문	재미있게 ㄱㄴㄷ • 나는 ☐ 월 ☐ 일 ☐ 시에 공부할 것입니다.	• 독해력에서 나의 점수는 ☐ 점입니다. • 어휘력에서 맞은 문제수는 ☐ 개 / 8개 입니다. • 어려웠던 문제는 ______ 번입니다.
07 사회 | 설명문	돈이 뭐예요? • 나는 ☐ 월 ☐ 일 ☐ 시에 공부할 것입니다.	• 독해력에서 나의 점수는 ☐ 점입니다. • 어휘력에서 맞은 문제수는 ☐ 개 / 8개 입니다. • 어려웠던 문제는 ______ 번입니다.
08 과학 | 설명문	바다에 사는 동물 • 나는 ☐ 월 ☐ 일 ☐ 시에 공부할 것입니다.	• 독해력에서 나의 점수는 ☐ 점입니다. • 어휘력에서 맞은 문제수는 ☐ 개 / 8개 입니다. • 어려웠던 문제는 ______ 번입니다.
09 산문문학 | 이야기	야, 우리 기차에서 내려! • 나는 ☐ 월 ☐ 일 ☐ 시에 공부할 것입니다.	• 독해력에서 나의 점수는 ☐ 점입니다. • 어휘력에서 맞은 문제수는 ☐ 개 / 8개 입니다. • 어려웠던 문제는 ______ 번입니다.
10 운문문학 | 시	동동 아기 오리 • 나는 ☐ 월 ☐ 일 ☐ 시에 공부할 것입니다.	• 독해력에서 나의 점수는 ☐ 점입니다. • 어휘력에서 맞은 문제수는 ☐ 개 / 8개 입니다. • 어려웠던 문제는 ______ 번입니다.

• 이번 주 독해력 문제에서 나의 점수는 평균 ☐ 점입니다.

• 이번 주 어휘력에서 맞은 문제수는 모두 ☐ 개입니다.

'ㄱ'부터 'ㅎ'까지 어떻게 읽을까요? 다음 글을 읽고 하나씩 새겨봅시다.

1. 15점 2. 15점 3. 10점 4. 15점 5. 15점 6. 15점 7. 15점

한글의 자음은 허파[1]에 있던 공기가 목, 이, 입술, 혀의 어느 한 부분에 닿아서 소리가 납니다. 그래서 자음을 '닿소리'라고 부르기도 하지요. 자음은 모음의 왼쪽, 위쪽, 받침에 놓입니다. 한글의 기본 자음은 모두 14개입니다. 순서에 따라 글자의 모양과 이름을 알아보기로 해요.

ㄱ	ㄴ	ㄷ	ㄹ	ㅁ
기역	니은	디귿	리을	미음
ㅂ	ㅅ	ㅇ	ㅈ	ㅊ
비읍	시옷	이응	지읒	치읓
ㅋ	ㅌ	ㅍ	ㅎ	
키읔	티읕	피읖	히읗	

❶ 허파 (비슷한 말: 폐) 가슴 안의 양쪽에 있는, 호흡을 하는 기관.

1
주제찾기

무엇을 설명한 글입니까? ( )

① 한글의 뜻
② 한글의 글자 수
③ 한글과 다른 나라 글자
④ 자음의 글자 모양과 이름
⑤ 자음과 모음의 소리 어울림

2
글감찾기

이 글의 가장 중요한 글감을 찾아 쓰세요.

3
사실이해

자음의 또 다른 이름은 무엇입니까? ( )

① 닿소리
② 홀소리
③ 목소리
④ 새소리
⑤ 숨소리

4
미루어알기

이름을 붙이는 방식이 'ㄴ'과 다른 것은 어느 것입니까? ( )

① ㄹ(리을)
② ㅁ(미음)
③ ㅂ(비읍)
④ ㅅ(시옷)
⑤ ㅇ(이응)

2주 06회
해설편 03쪽

5 세부내용

자음의 첫 글자와 끝 글자를 모아 놓은 것을 고르세요. ( )

① ㄱ, ㅎ

② ㄴ, ㅍ

③ ㄷ, ㅌ

④ ㄹ, ㅋ

⑤ ㅁ, ㅊ

6 적용하기

자음이 받침에 쓰인 글자는 어느 것입니까? ( )

① 가

② 거

③ 고

④ 구

⑤ 길

7 요약하기

한글의 자음에 대해 간추렸습니다. 빈칸을 채우세요.

소리 나는 방법	허파에 있던 ① ☐☐가 목, 이, 입술, 혀의 어느 한 부분에 닿아서 소리가 난다.
다른 이름	② ☐☐☐
놓이는 곳	모음의 왼쪽, 위쪽, ③ ☐☐에 놓인다.
기본 자음	ㄱ(④ ☐☐)부터 ㅎ(히읗)까지 14개이다.

어휘 넓히기

뜻

낱말의 뜻풀이로 알맞은 것을 보기 에서 골라 괄호 안에 기호를 쓰세요.

(1) 닿다 ( )
(2) 알아보다 ( )
(3) 순서 ( )

보기
㉠ 알기 위해 자세히 조사하거나 살펴보다.
㉡ 어떤 물체가 다른 물체에 맞붙어 사이에 빈틈이 없게 되다.
㉢ 여럿을 정해진 기준에 따라 먼저와 나중으로 갈라 나누어 줄 세운 것.

다지기

아래 문장의 빈칸에 알맞은 낱말을 보기 에서 찾아 쓰세요.

보기
알아볼 닿아서 순서

(1) 교실에서 번호 [ ][ ]대로 줄을 섰다.
(2) 풍선이 바늘에 [ ][ ][ ] 터졌다.
(3) 어두워서 얼굴을 [ ][ ][ ] 수 없었다.

넓히기

밑줄 친 낱말을 맞춤법에 맞게 고쳐 보세요.

(1) 유리가 깨져 쨍그랑 소리가 <u>납니다</u>.
→ [ ][ ][ ]

(2) 내 친구는 학교 <u>윗쪽</u> 마을에 살아요.
→ [ ][ ]

시간 공부 날짜 [ ]월 [ ]일
푸는데 걸린 시간 [ ]분

확인 맞은 개수 써보기

독해	개/7개	어휘	개/8개

07

여러분은 필요한 물건을 직접 만들 수 있나요? 만들 수 없다면, 필요한 물건을 '무엇'과 바꾸어야 해요. 다음 글을 읽고 나면 '무엇'에 대해 알게 되어요.

1. 15점 2. 15점 3. 10점 4. 15점 5. 15점 6. 15점 7. 15점

필요한 모든 걸 혼자 만들어 쓸 수 있는 사람은 거의 없어요. 그래서 사람들은 자신이 만든 것과 다른 사람들이 만든 것을 서로 바꾸어 써요. 하지만 물건과 물건을 직접 맞바꾸는 건 불편해요. 그래서 필요한 것이 바로 돈이에요. 돈을 통해서 물건을 사고팔며 필요한 물건을 서로 바꾸는 거예요. 돈은 생활을 편하고 넉넉하게 하려는 곳곳을 돌고 돌며 사람과 사람 사이를 서로 이어주지요.

먼 옛날엔 돈이 없었어요. 물건과 물건을 직접 맞바꾸는 물물 교환을 했지요. 그런데 왜 돈을 만들었을까요?

물물 교환은 여러 가지로 불편한 점이 많았어요. 내게 필요한 물건을 가진 사람을 찾기도 힘들었고, 찾았다 하더라도 그 사람이 내가 만든 물건이 필요하지 않다고 하면 물건을 서로 바꿀 수 없었거든요. 게다가 물물 교환을 하려면 물건을 들고 다녀야 하는데, 물건이 무겁거나 잘 상하는 것일 수도 있잖아요. 또 (㉠) 예를 들면 나는 돼지 한 마리와 쌀 두 가마를 바꾸고 싶은데, 상대방은 돼지 반 마리와 쌀 한 가마를 바꾸고 싶어 하면 물건을 서로 바꿀 수 없잖아요. 물물 교환의 이런 불편한 점을 없애기 위해 돈이 등장하게 된 거예요.

돈은 오랜 시간 동안 여러 가지 모습으로 변해 왔어요. 처음엔 쌀, 소금, 조개껍데기 등의 물품이 돈으로 쓰였지요. 하지만 물품 화폐는 들고 다니기 불편하고 상하기 쉬웠어요. 그래서 금이나 은으로 돈을 만들었지요. 뒤이어 오늘날 쓰이는 동전, 지폐, 수표, 신용 카드, 전자 화폐 등이 차례로 나타났어요.

1
주제찾기

글의 중심 내용은 무엇입니까? ( )

① 돈을 만든 까닭
② 돈이 필요한 사람
③ 돈을 찾아다니는 사람
④ 물건을 만드는 사람
⑤ 물건을 파는 사람

2
글감찾기

글의 처음부터 끝까지 반복하여 나타난 낱말을 글에서 찾아 쓰세요.

☐

3
사실이해

옛날에 돈이 없었을 때 어떻게 필요한 물건을 구했나요? ( )

① 동전
② 물물 교환
③ 전자 화폐
④ 신용 카드
⑤ 조개껍데기

4 미루어알기

㉠에 알맞은 말은 무엇입니까? ( )

① 돈은 없어도 되지요.
② 돈은 물건과 다른 것이에요.
③ 필요한 물건이 없을 수도 있어요.
④ 필요한 물건이 서로 다를 수도 있지요.
⑤ 돈이 필요하다고 해서 아무나 만들 수는 없지요.

5 세부내용

글을 읽고 '돈'이라는 말에서 가장 쉽게 떠올릴 수 있는 낱말을 고르세요. ( )

① 있다 ② 없다
③ 돌다 ④ 가다
⑤ 오다

6 적용하기

가장 최근에 돈의 역할을 하게 된 것은 무엇입니까? ( )

① 쌀 ② 금
③ 은 ④ 동전
⑤ 신용 카드

7 요약하기

돈의 변화 모습을 간추렸습니다. 빈칸을 채우세요.

① □□ □□ → 물품 화폐(쌀, 소금, 조개껍데기)
→ 금, 은 → ② □□, 지폐, 수표, 신용 카드, 전자 화폐 등

어휘 넓히기

해설편 04쪽

뜻 낱말의 뜻풀이로 알맞은 것을 보기 에서 골라 괄호 안에 기호를 쓰세요.

(1) 등장하다 (   )
(2) 상하다 (   )
(3) 맞바꾸다 (   )

보기
㉠ 더 보태거나 빼지 않고 서로 바꾸다.
㉡ 해지거나 헐거나 썩거나 변하다.
㉢ 새로이 세상에 나오다.

다지기 아래 문장의 빈칸에 알맞은 낱말을 보기 에서 찾아 쓰세요.

보기
맞바꿨다 상한다 등장했다

(1) 새로운 상품이 백화점에 □□□□.
(2) 생선을 더운 곳에 두면 잘 □□□.
(3) 멀미가 있는 나는 옆자리의 친구와 자리를 □□□□.

넓히기 밑줄 친 낱말을 맞춤법에 맞게 고쳐 보세요.

(1) 친구와 공책을 <u>맞바꾸어</u> 보기로 했어요.
→ □□□□

(2) 물건을 서로 바꿀 수 <u>업자나요</u>.
→ □□□□

시간 공부 날짜 □월 □일
푸는데 걸린 시간 □분

확인 맞은 개수 써보기

독해	개/7개	어휘	개/8개

08

여러분은 바다 동물을 좋아하나요? 바다 동물마다 생김새, 살아가는 모습, 먹이가 다 다르지요. 다음 글을 읽고 바다 동물에 대해 더 알아봅시다.

점수 계산 1. 15점 2. 15점 3. 10점 4. 15점 5. 15점 6. 15점 7. 15점

가자미는 가오리가 가까이 오는 것을 눈치챘어요.

"가오리에게 잡아먹히겠군. 변해라, 얍!"

가자미가 감쪽같이 모래 색깔로 몸 색깔을 바꾸어요.

바위 위에서는 순식간에 바위 색깔로 몸 색깔을 바꾸어요.

하얀 알들이 바위틈에서 꿈틀꿈틀 움직여요.

"톡톡톡톡, 쏘옥쏘옥!"

알주머니를 찢고 알록달록한 아기 오징어들이 나와요.

"야호, 넓은 바다야!" 아기 오징어들이 힘차게 헤엄쳐요.

가시복은 적을 만나면 온몸을 공처럼 팡팡 부풀려요.

"가시야 솟아라. 마구 솟아라!"

그러자 온몸이 뾰족뾰족 가시 옷으로 변해요.

"흐흐, 내 가시 맛 좀 볼래?" 적들은 깜짝 놀라 달아나요.

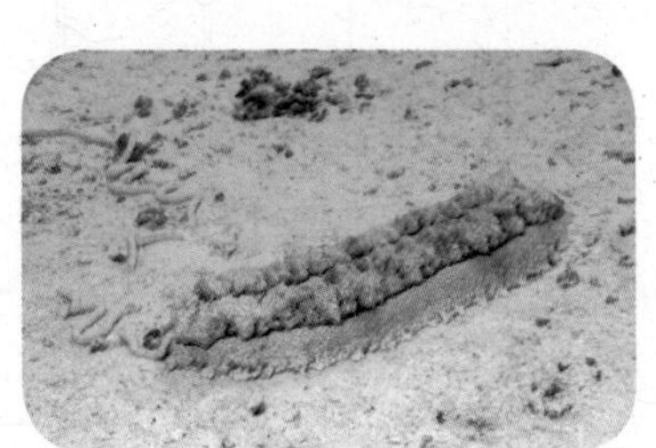

불가사리가 해삼을 잡아먹으려고 하자, 해삼이 꾀를 내요.

"불가사리야, 나 대신에 이걸 먹으렴!"

해삼은 국수처럼 생긴 것을 토하고는 얼른 달아나요.

"헤헤! 불가사리야, 끈적거리지? 빠져나올 수 없을걸."

1
주제찾기

읽은 내용 전체를 잘 이해한 것을 고르세요. ( )

① 동물은 몸의 색깔을 바꾸고 산다.
② 바다에는 다양한 동물이 여러 모습으로 산다.
③ 작은 동물들은 꿈틀꿈틀 자기 몸을 움직인다.
④ 동물들은 바다와 땅을 오가며 먹이를 구하여 먹는다.
⑤ 땅에 사는 동물은 바다에 사는 동물보다 몸집이 훨씬 크다.

해설편 04쪽

2
제목찾기

알맞은 낱말을 넣어서 제목을 붙이세요.

☐☐에 사는 동물

3
사실이해

글에 나오지 않은 동물은 무엇입니까? ( )

① 가자미
② 오징어
③ 가시복
④ 해삼
⑤ 해마

4
미루어알기

가시복이 적을 물리친 무기는 무엇입니까? ( )

① 알
② 색깔
③ 바위
④ 가시
⑤ 국수

5 세부내용

'시간을 오래 끌지 않고 곧바로'라는 뜻을 가진 낱말은 무엇입니까? ( )

① 꾀 ② 얼른
③ 힘차게 ④ 꿈틀꿈틀
⑤ 알록달록

6 적용하기

다음을 읽고 같은 방법으로 적을 피하는 동물을 찾으세요. ( )

> 추운 지역에서 살아가는 북극여우는 계절에 따라 털의 색이 달라져요. 여름엔 풀과 바위틈에 숨기 위해 검은색으로, 겨울에는 눈과 같은 하얀색으로 털갈이를 하지요.

① 가자미 ② 가오리
③ 오징어 ④ 가시복
⑤ 불가사리

7 요약하기

바다에 사는 동물들의 모습을 문단마다 아래와 같이 간추렸습니다. 빈칸을 채우세요.

1문단	가오리에게 잡아 먹히지 않으려고 몸 색깔을 바꾸는 ① □□□의 모습
2문단	알주머니를 찢고 나온 아기 ② □□□
3문단	몸을 부풀려 적을 막는 ③ □□□
4문단	국수처럼 생긴 것을 토하고 도망치는 ④ □□

어휘 넓히기

뜻 낱말의 뜻풀이로 알맞은 것을 보기 에서 골라 괄호 안에 기호를 쓰세요.

(1) 감쪽같이 (   )
(2) 순식간 (   )
(3) 뾰족뾰족 (   )

보기
㉠ 눈을 한 번 깜짝하거나 숨을 한 번 쉴 만한 아주 짧은 동안.
㉡ 꾸미거나 고친 것이 전혀 알아챌 수 없을 정도로 티가 나지 않게.
㉢ 여럿이 다 끝이 점점 가늘어져서 날카로운 모양.

다지기 아래 문장의 빈칸에 알맞은 낱말을 보기 에서 찾아 쓰세요.

보기
감쪽같이　　뾰족뾰족　　순식간에

(1) 스테고사우루스의 등은 [ ][ ][ ][ ] 한 부채 모양이다.
(2) 친구는 배가 고팠던지 [ ][ ][ ][ ] 급식을 먹어 치웠다.
(3) 언니가 그렇게 [ ][ ][ ][ ] 나를 속일 줄은 몰랐다.

넓히기 밑줄 친 낱말을 맞춤법에 맞게 고쳐 보세요.

(1) 포장지를 <u>찟고</u> 선물을 꺼냈어요.

→ [ ][ ]

(2) 나 <u>데신</u>에 이걸 먹으렴!

→ [ ][ ]

시간 공부 날짜 [ ]월 [ ]일
푸는데 걸린 시간 [ ]분

확인 맞은 개수 써보기

독해	[ ]개/7개	어휘	[ ]개/8개

꿈꾸며 겪은 일은 재미있는 이야기가 되어요. 어떤 일도 꿈꿀 수 있으니까 마음만 먹으면 재미있는 이야기가 되지요. 그렇게 꿈꾸며 겪은 일을 이야기로 만들어놓은 것을 한 번 볼까요.

1. 15점 2. 15점 3. 10점 4. 15점 5. 15점 6. 15점 7. 15점

"아이, 아직도 기차놀이 하니? 빨리 가서 자야지. 내일 아침 일찍 학교 가야 하잖아. 자, 여기 강아지 잠옷 집[1]이 있다. 거실의 방석 밑에 구겨져 있더구나. 이제 조용히 잘 자라."

아이가 잠이 들었어요. 꿈속에서 아이는 기차를 타고 여행을 해요.

"자, 이제 떠납니다."

코끼리가 기차에 타려고 해요.

"야, 우리 기차에서 내려!"

"제발 나도 기차에 태워 줘. 사람들이 내 상아[2]를 잘라 가려고 해, 자꾸 이러다가는 우리 코끼리들은 살아남지 못할 거야."

물개가 기차에 타려고 해요.

"야, 우리 기차에서 내려!"

"제발 나도 기차에 태워 줘. 바닷가에 더 있다가는 먹을 게 없어서 굶어 죽고 말 거야. 사람들이 물을 더럽히고 물고기를 너무 많이 잡아가거든. 자꾸 이러다가는 우리 물개들은 살아남지 못할 거야."

두루미가 기차에 타려고 해요.

"야, 우리 기차에서 내려!"

"제발 나도 기차에 태워 줘. 난 늪에 사는데 사람들이 물을 다 퍼버렸어. 난 마른 땅에서는 살 수가 없어. ㉠<u>자꾸 이러다가는 우리 두루미들은 살아남지 못할 거야.</u>"

"이제는 돌아가야겠다. 아침 일찍 학교 가야 하거든."

"㉡빨리 일어나라. 학교에 늦겠다. 그런데 우리 집에는 웬 동물이 이리 많은 거니? 현관에는 코끼리가, 목욕탕에는 물개가, 세탁실에는 두루미가 있더구나. 도대체 어떻게 된 일이니?"

❶ 잠옷 집 잠옷을 넣어두는 주머니. ❷ 상아 코끼리의 엄니. 위턱에 나서 입 밖으로 뿔처럼 길게 뻗어 있다. 맑고 연한 노란색이며 단단해서 갈면 갈수록 윤이 난다. 악기, 도장, 물부리 따위의 공예품을 만드는 데 쓴다.

2주 09회

해설편 05쪽

1 주제찾기

거듭 일어나고 있는 일을 통하여 알 수 있는 것은 무엇입니까? ( )

① 아이가 학교에 갔다.
② 아이가 저녁에 일찍 잠들었다.
③ 강아지와 아이가 기차 놀이를 했다.
④ 아이의 엄마가 아이를 아침 일찍 깨웠다.
⑤ 사람들 때문에 동물들이 살아남기 어렵게 되었다.

2 제목찾기

빈칸에 낱말을 넣어 제목을 붙이세요.

야, 우리 ☐☐에서 내려!

3 사실이해

바닷가에 먹을 게 없으니 기차에 태워달라고 한 동물을 고르세요. ( )

① 강아지
② 코끼리
③ 물개
④ 두루미
⑤ 고양이

4 미루어알기

㉠과 같이 말한 까닭은 무엇입니까? ( )

① 상아를 잘라 갔기 때문에
② 물고기를 많이 잡아갔기 때문에
③ 사람들이 물을 다 퍼 버렸기 때문에
④ 얼음이 차츰차츰 녹기 때문에
⑤ 숲에 큰불이 났기 때문에

5 세부내용

다음 중 ㉡과 바꾸어 쓸 수 있는 말을 고르세요. ( )

① 어서
② 자꾸
③ 늦게
④ 마구
⑤ 거의

6 적용하기

이야기에 나오는 동물들이 사람들에게 하고 싶은 말은 무엇일까요? ( )

① 사람들은 에너지를 아껴 써야 해요.
② 일찍 자고 일찍 일어나면 참 좋아요.
③ 기차에 태워 주면 모두 행복할 수 있어요.
④ 우리 동물들도 살아갈 수 있도록 해 주세요.
⑤ 자기가 놀고 난 자리는 스스로 정리해야 해요.

7 요약하기

동물들이 살아남기 어렵게 된 이유를 간추렸습니다. 빈칸을 채우세요.

코끼리	사람들이 ① □□를 잘라 가려고 해요.
물개	사람들이 물을 더럽히고 ② □□□를 너무 많이 잡아가요.
③ □□□	사람들이 물을 다 퍼 버려서 늪이 마른땅이 되었어요.

어휘 넓히기

뜻 낱말의 뜻풀이로 알맞은 것을 보기 에서 골라 괄호 안에 기호를 쓰세요.

(1) 제발 (　　　)
(2) 자꾸 (　　　)
(3) 빨리 (　　　)

보기
㉠ 간절히 바라건대.
㉡ 걸리는 시간이 짧게.
㉢ 여러 번 반복하거나 끊임없이 계속하여.

해설편 05쪽

다지기 아래 문장의 빈칸에 알맞은 낱말을 보기 에서 찾아 쓰세요.

보기
자꾸　　제발　　빨리

(1) 소풍날에 ☐☐ 비가 오지 않았으면 좋겠다.
(2) 어제 늦게 잤더니 ☐☐ 눈이 감긴다.
(3) 숙제를 ☐☐ 끝내서 놀 시간이 많이 생겼다.

넓히기 밑줄 친 낱말을 맞춤법에 맞게 고쳐 보세요.

(1) 옷이 심하게 구겨저 있었다.
→ ☐☐☐

(2) 이재는 돌아가야겠다.
→ ☐☐

시간 공부 날짜 ☐ 월 ☐ 일
푸는데 걸린 시간 ☐ 분

확인 맞은 개수 써보기

독해	개/7개	어휘	개/8개

10

물가에서 오리 가족을 본 적이 있나요? 엄마 오리를 졸졸 따르는 아기 오리들을 떠올리며 시를 읽어 봅시다.

점수 계산 1. 15점 2. 15점 3. 10점 4. 15점 5. 15점 6. 15점 7. 15점

둥둥 엄마 오리
못물[1] 위에 둥둥

동동 아기 오리
엄마 따라 동동

풍덩 엄마 오리
못물 속에 풍덩

퐁당 아기 오리
엄마 따라 퐁당

낱말 풀이

❶ 못물 논에 모를 내는 데 필요한 물. 못에 고여 있는 물.

1
주제찾기

시에서 어떤 모습을 그리고 있습니까? ( )

① 집으로 들어가는 두 오리
② 못물 속을 헤엄치는 아빠 오리
③ 못물 위에서 먹이를 잡는 두 오리
④ 따뜻한 햇볕 아래 낮잠 자는 아기 오리
⑤ 엄마 오리를 따라 하는 귀여운 아기 오리

2주 10회

해설편 05쪽

2
글감찾기

초점을 맞춘 동물은 무엇인가요?

3
사실이해

엄마 오리와 아기 오리는 어디에 있나요? ( )

① 못물
② 호수
③ 바다
④ 숲속
⑤ 하늘

4
미루어알기

시에 나타난 아기 오리의 움직임은 어떤 것인가요? ( )

① 올라가기
② 내려가기
③ 따라 하기
④ 혼자 하기
⑤ 엄마 찾기

5 세부내용

시의 한 묶음은 몇 줄씩으로 되어 있나요? ( )

① 한 줄
② 두 줄
③ 석 줄
④ 넉 줄
⑤ 다섯 줄

6 적용하기

엄마 오리와 아기 오리의 움직임에 어울리는 말을 고르세요. ( )

엄마 오리가 지나가면 못물이 (㉠) 아기 오리가 따라가면 못물이 (㉡)

① ㉠ 뿡-㉡ 뽕
② ㉠ 쑥-㉡ 쏙
③ ㉠ 철렁-㉡ 찰랑
④ ㉠ 꾸르륵-㉡ 꼬르륵
⑤ ㉠ 터벅터벅-㉡ 타박타박

7 요약하기

시를 다음과 같이 간추렸습니다. 빈칸을 채우세요.

엄마 오리가 둥둥, 아기 오리가 ① □□, 못물 위에 떠 있어요. 엄마 오리가 풍덩, ② □□ □□가 퐁당, 못물 속에 빠져요.

어휘 넓히기

뜻

낱말의 뜻풀이로 알맞은 것을 보기 에서 골라 괄호 안에 기호를 쓰세요.

(1) 동동 (　　)
(2) 퐁당 (　　)
(3) 따르다 (　　)

보기
㉠ 그대로 되풀이하여 행동하다.
㉡ 작고 단단한 물건이 물에 떨어지거나 빠질 때 가볍게 나는 소리를 나타내는 말.
㉢ 작은 물체가 떠서 움직이는 모양.

2주 10회

해설편 05쪽

다지기

아래 문장의 빈칸에 알맞은 낱말을 보기 에서 찾아 쓰세요.

보기
따라　　동동　　퐁당

(1) 반지가 물에 □□ 빠졌다.
(2) 고깃국에 기름이 □□ 떴다.
(3) 아이들은 선생님을 □□ 노래를 불렀다.

넓히기

밑줄 친 낱말을 맞춤법에 맞게 고쳐 보세요.

(1) <u>몬물</u> 위에 둥둥
→ □□

(2) 엄마 <u>딸아</u> 퐁당
→ □□

시간

공부 날짜 □ 월 □ 일
푸는데 걸린 시간 □ 분

확인

맞은 개수 써보기

독해	□ 개/7개	어휘	□ 개/8개

어휘·어법 총정리

보기 의 낱말을 보고, 뜻과 어울리는 것을 골라 아래의 빈칸에 써보세요.

보기	순식간	자꾸	감쪽같이	따르다	등장하다	맞바꾸다

1. 새로이 세상에 나오다. ( )
2. 더 보태거나 빼지 않고 서로 바꾸다. ( )
3. 꾸미거나 고친 것이 전혀 알아챌 수 없을 정도로 티가 나지 않게. ( )
4. 눈을 한 번 깜짝하거나 숨을 한 번 쉴 만한 아주 짧은 동안. ( )
5. 여러 번 반복하거나 끊임없이 계속하여. ( )
6. 그대로 되풀이하여 행동하다. ( )

어법 다음 중 맞춤법에 맞는 것을 골라 동그라미 하세요.

1. [위쪽 / 윗쪽]에 있다.
2. [거이 / 거의] 모두 그렇다.
3. 재미가 [업자나요 / 없잖아요].
4. 물건 [대신에 / 데신에] 돈!
5. 우리도 [태어 줘 / 태워 줘].
6. [이제는 / 이재는] 잘 시간이야.

나의 점수 확인하기

어휘	개 / 6개	어법	개 / 6개

3주차

회차 / 영역	제목	계획 및 점검
11 인문|설명문	다 함께 아야어여 • 나는 [ ] 월 [ ] 일 [ ] 시에 공부할 것입니다.	• 독해력에서 나의 점수는 [ ] 점입니다. • 어휘력에서 맞은 문제수는 [ ] 개 / 8개 입니다. • 어려웠던 문제는 ______ 번입니다.
12 사회|설명문	가족 • 나는 [ ] 월 [ ] 일 [ ] 시에 공부할 것입니다.	• 독해력에서 나의 점수는 [ ] 점입니다. • 어휘력에서 맞은 문제수는 [ ] 개 / 8개 입니다. • 어려웠던 문제는 ______ 번입니다.
13 과학|설명문	식물 이름 짓기 • 나는 [ ] 월 [ ] 일 [ ] 시에 공부할 것입니다.	• 독해력에서 나의 점수는 [ ] 점입니다. • 어휘력에서 맞은 문제수는 [ ] 개 / 8개 입니다. • 어려웠던 문제는 ______ 번입니다.
14 산문문학|이야기	황소 아저씨 • 나는 [ ] 월 [ ] 일 [ ] 시에 공부할 것입니다.	• 독해력에서 나의 점수는 [ ] 점입니다. • 어휘력에서 맞은 문제수는 [ ] 개 / 8개 입니다. • 어려웠던 문제는 ______ 번입니다.
15 운문문학|시	그만뒀다 • 나는 [ ] 월 [ ] 일 [ ] 시에 공부할 것입니다.	• 독해력에서 나의 점수는 [ ] 점입니다. • 어휘력에서 맞은 문제수는 [ ] 개 / 8개 입니다. • 어려웠던 문제는 ______ 번입니다.

• 이번 주 독해력 문제에서 나의 점수는 평균 [ ] 점입니다.

• 이번 주 어휘력에서 맞은 문제수는 모두 [ ] 개입니다.

11

이번에는 모음을 공부할 거예요. 'ㅏ'부터 'ㅣ'까지 어떻게 읽을까요? 다음 글을 읽고 하나씩 새겨 봅시다.

1. 15점 2. 15점 3. 10점 4. 15점 5. 15점 6. 15점 7. 15점

한글의 모음은 허파의 공기가 목, 입, 코를 거쳐 나오면서 아무 곳에도 닿지 않고 소리가 납니다. 그래서 모음을 '홀소리'라고 부르기도 합니다. 모음은 자음의 오른쪽, 아래쪽에 놓입니다. 한글의 기본 모음은 모두 10개입니다. 순서에 따라 글자의 모양과 이름을 알아보기로 해요.

ㅏ	ㅑ	ㅓ	ㅕ	ㅗ
아	야	어	여	오
ㅛ	ㅜ	ㅠ	ㅡ	ㅣ
요	우	유	으	이

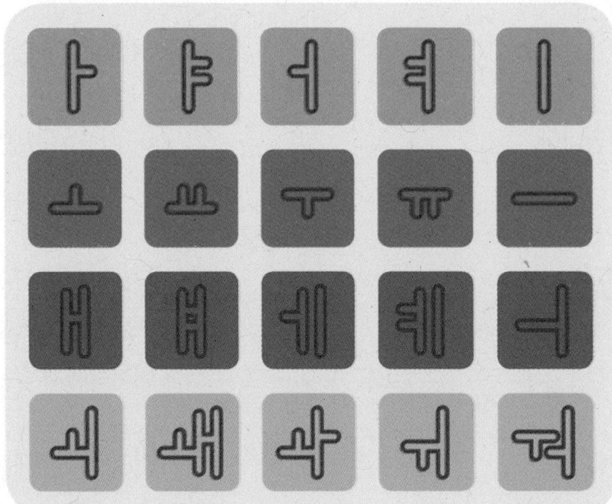

1
주제찾기

글에서 설명한 내용은 무엇입니까? ( )

① 모음을 놓는 순서
② 모음을 발음하는 방법
③ 모음의 글자 모양과 이름
④ 글자에서 모음이 놓이는 자리
⑤ 글자에서 자리를 바꾸는 모음과 자음

해설편 06쪽

2
글감찾기

글의 주요 글감을 찾아 쓰세요.

□□

3
사실이해

'모음'의 다른 이름은 무엇입니까? ( )

① 닿소리
② 홑소리
③ 목소리
④ 새소리
⑤ 숨소리

4
미루어알기

소리의 처음과 끝이 같은 것은 어느 것입니까? ( )

① ㅑ
② ㅕ
③ ㅛ
④ ㅠ
⑤ ㅣ

5 세부내용

기본 모음의 첫 글자와 끝 글자는 각각 무엇입니까? ( )

① ㅏ, ㅣ

② ㅑ, ㅡ

③ ㅓ, ㅠ

④ ㅕ, ㅜ

⑤ ㅗ, ㅛ

6 적용하기

기본 모음에 속하지 않는 것을 고르세요. ( )

① ㅏ

② ㅓ

③ ㅗ

④ ㅜ

⑤ ㅢ

7 요약하기

한글의 모음에 대해 간추렸습니다. 빈칸을 채우세요.

소리 나는 방법	허파의 ① [ ][ ]가 목, 입, 코를 거쳐 나오면서 아무 곳에도 닿지 않고 소리가 난다.
다른 이름	② [ ][ ][ ]
놓이는 곳	자음의 ③ [ ][ ][ ], 아래쪽
기본 모음	'ㅏ'부터 'ㅣ'까지 모두 10개

어휘 넓히기

뜻 낱말의 뜻풀이로 알맞은 것을 보기에서 골라 괄호 안에 기호를 쓰세요.

(1) 거치다 (　　)
(2) 부르다 (　　)
(3) 모두 (　　)

보기
㉠ 오가는 중간에 어디를 지나거나 들르다.
㉡ 무엇이라고 가리켜 말하거나 이름을 붙이다.
㉢ 하나도 빼거나 남기지 않고 다.

3주 11회

해설편 06쪽

다지기 아래 문장의 빈칸에 알맞은 낱말을 보기에서 찾아 쓰세요.

보기
모두　　불러　　거쳐

(1) 태풍은 다른 나라를 ☐☐ 우리나라에도 불어왔다.
(2) 우리는 그 친구를 멋쟁이라고 ☐☐ 왔다.
(3) 우리 반 학생은 ☐☐ 20명이다.

넓히기 밑줄 친 낱말을 맞춤법에 맞게 고쳐 보세요.

(1) 아무 곳에도 닷지 않고 소리가 납니다.

→ ☐☐

(2) 오른쪽, 아랫쪽에 놓입니다.

→ ☐☐☐

시간 공부 날짜 ☐ 월 ☐ 일
푸는데 걸린 시간 ☐ 분

확인 맞은 개수 써보기

독해	개/7개	어휘	개/8개

12

'우리 가족'을 떠올려 보세요. 누구까지 여러분의 가족이라고 생각하나요? 가족은 우리가 세상에 태어나서 가장 먼저 보고 어울리는 사람들이에요. 가족의 뜻을 알아보고 가족을 이루는 사람이 각자 어떤 역할을 하는지 살펴보기로 해요.

1. 15점 2. 15점 3. 10점 4. 15점 5. 15점 6. 15점 7. 15점

이번 설에 아빠 엄마와 함께 할머니 댁에 다녀왔어요. 할머니 할아버지뿐만 아니라 작은아버지네, 큰아버지네, 고모, 사촌 동생들까지…… 정말 많은 사람이 한자리에 모였지요. 그런데 할머니께서 기뻐하시며 "우리 가족이 다 모이니까 좋구나." 하시는 거예요. 어? 가족은 엄마, 아빠, 나, 이렇게 셋이 한 가족 아닌가?

가족이란, 남편과 아내, 아빠, 엄마와 누나, 형, 동생처럼 결혼이나 핏줄 따위로 맺어진 사람들의 모임을 말해요. 그렇게 모인 사람들을 뜻하기도 해요. 대부분의 사람은 가족을 이루는 한 사람으로 태어나 가족의 테두리 안에서 살아가지요. 그래서 가족은 우리가 어울려 살아가는 사회를 이루는 가장 기본적인 단위가 되어요.

옛날에는 가족의 한 사람으로서 할 일들이 대체로 정해져 있었어요. 할아버지는 집안의 어른으로서 가정의 중요한 일들을 결정하고 손자나 손녀들의 교육을 맡았지요. 할머니는 집안일을 도와주면서 어린 손자나 손녀를 돌봤고, 아빠는 가정의 경제를 책임지고, 엄마는 집안의 살림을 도맡았어요[1]. 아들은 할아버지와 아빠를 돕고, 딸은 엄마와 할머니를 도왔지요. (㉠) 요즘엔 달라졌어요.

❶ 도맡다 혼자서 책임을 지고 몰아서 모든 것을 돌보거나 해내다.

1 주제찾기

어떤 물음을 떠올릴 수 있는 글인가요? ( )

① 가족은 언제 생겼나요?
② 가족의 일은 누가 정해 주나요?
③ 가족은 나의 생활을 어떻게 바꾸나요?
④ 가족의 뜻과 이루는 사람의 역할은 무엇인가요?
⑤ 가족을 이루지 못하는 사람은 어떻게 살아갈 수 있나요?

3주 12회

해설편 06쪽

2 글감찾기

글감이 된 낱말을 글에서 찾아 쓰세요.

3 사실이해

할머니가 말한 "우리 가족"이 아닌 사람은 누구인가요? ( )

① 고모
② 이모
③ 사촌
④ 큰아버지
⑤ 작은아버지

4 미루어알기

옛날과 비교해 달라진 가족의 모습은 어느 것입니까? ( )

① 아빠가 집안 청소를 한다.
② 딸은 엄마와 할머니를 돕는다.
③ 할아버지는 중요한 일을 결정한다.
④ 아들은 아빠와 할아버지를 돕는다.
⑤ 엄마가 집안의 살림을 도맡아 한다.

5
세부내용

㉠에 알맞은 낱말을 고르세요. ( )

① 그래서
② 그런데
③ 왜냐하면
④ 그러니까
⑤ 하마터면

6
적용하기

다음 중 가족이 <u>아닌</u> 사람을 고르세요. ( )

① 친구
② 엄마
③ 아빠
④ 할머니
⑤ 여동생

7
요약하기

각 문단의 주요 내용을 간추렸습니다. 글에 나오는 낱말로 빈칸을 채우세요.

1문단	① [ ]에 만난 가족들
2문단	가족의 ② [ ]
3문단	가족 한 사람으로서 할 ③ [ ]들

어휘 넓히기

뜻

낱말의 뜻풀이로 알맞은 것을 보기 에서 골라 괄호 안에 기호를 쓰세요.

(1) 한자리 ( )
(2) 테두리 ( )
(3) 뜻하다 ( )

보기
㉠ 함께 어울리는 자리. 같은 자리.
㉡ 일정한 범위나 한계.
㉢ 가리켜 나타내다. 어떤 의미를 가지다.

다지기

아래 문장의 빈칸에 알맞은 낱말을 보기 에서 찾아 쓰세요.

보기
테두리 한자리 뜻하는

(1) 우리 가족은 명절이 되면 □□□에 모여 즐거운 시간을 보낸다.

(2) 나는 가족이라는 □□□ 안에서 행복하다.

(3) '상록수'라는 낱말은 잎이 언제나 푸른 나무를 □□□ 말이다.

넓히기

밑줄 친 낱말을 맞춤법에 맞게 고쳐 보세요.

(1) 엄마와 아빠는 사랑으로 매저진 사이이다.

→ □□□

(2) 검은색 가방에 흰 태두리가 있어요.

→ □□□

시간 공부 날짜 □ 월 □ 일
푸는데 걸린 시간 □ 분

확인 맞은 개수 써보기

독해	개/7개	어휘	개/8개

3주 12회 해설편 06쪽

13

모든 식물에는 이름이 있어요. 그리고 이름을 알면 식물을 제대로 알 수 있어요. 식물 이름엔 많은 것이 담겨 있답니다.

1. 15점 2. 15점 3. 10점 4. 15점 5. 15점 6. 15점 7. 15점

식물은 주로 생김새나 쓰임새, 특징에 따라 이름을 붙여요. 그래서 이름만으로도 식물에 대해 많은 것을 알 수 있지요.

애기똥풀은 잎과 줄기를 자르면 아기의 똥색 같은 즙이 나오기 때문에 이런 이름이 붙었어요. 노루귀는 땅속에서 털이 돋은 잎이 말려 나오는 모습이 노루의 귀처럼 생겨서 그렇게 부르지요. 국수나무는 어떨까요? 껍질도 속도 하얗고, 길게 늘어진 모습이 마치 국수처럼 보인다고 해서 붙은 이름이에요. 할미꽃은 꽃이 땅을 굽어보고 흰 털이 있어서 진짜 허리가 구부러지고 머리까지 하얗게 센 할머니처럼 보이기도 해요.

쓰임새에 따라 이름을 붙이기도 해요. 참빗살나무는 옛날에 쓰던 참빗의 재료가 되었던 나무이고, 옻나무는 가구나 나무그릇에 윤을 내기 위해 옻칠을 하는 데 쓰였어요. 신갈나무의 유래는 아주 재미있어요. 옛날에 나무꾼들이 산속에서 신고 가던 짚신이 떨어지면 신갈나무의 잎을 깔았대요. (　　㉠　　) 신갈나무라는 이름이 붙었지요.

〈할미꽃〉

1 주제찾기

어떤 물음에 답하는 글입니까? ( )

① 식물의 이름이 있나요?

② 식물과 동물은 다른가요?

③ 식물에 어떤 특징이 있나요?

④ 식물 이름은 어떻게 지었을까요?

⑤ 식물을 볼 수 있는 곳은 어디인가요?

해설편 07쪽

2 제목찾기

글의 내용과 어울리게 제목을 붙이세요.

□□ □□ 짓기

3 사실이해

쓰임새에 따라 이름을 붙인 식물은 무엇인가요? ( )

① 노루귀

② 할미꽃

③ 애기똥풀

④ 국수나무

⑤ 참빗살나무

4 미루어알기

신갈나무라는 이름의 뜻을 고르세요. ( )

① 신을 갈다.

② 신을 벗다.

③ 신을 신다.

④ 신을 만들다.

⑤ 신을 버리다.

5
세부내용

㉠에 들어갈 낱말은 무엇입니까? ························ (　　)

① 그리고
② 그래서
③ 그러면
④ 그러나
⑤ 그런데

6
적용하기

시계꽃의 이름에 대한 설명입니다. 빈칸을 채우세요.

이 식물은 생김새를 따서 이름을 붙였습니다.

꽃의 모양이 [　][　]와 닮았기 때문입니다.

7
요약하기

글에 나온 식물의 이름에 대해 간추렸습니다. 빈칸을 채우세요.

생김새	② [　][　][　]
애기똥풀, 노루귀, 국수나무, ① [　][　][　]	참빗살나무, 옻나무, 신갈나무

어휘 넓히기

뜻 낱말의 뜻풀이로 알맞은 것을 보기 에서 골라 괄호 안에 기호를 쓰세요.

(1) 돋다 (　　)
(2) 마치 (　　)
(3) 윤 (　　)

보기
㉠ 거의 비슷하게.
㉡ 겉으로 자라 나오거나 나타나다.
㉢ 반질반질하고 매끄러운 기운.

다지기 아래 문장의 빈칸에 알맞은 낱말을 보기 에서 찾아 쓰세요.

보기
돋는　　마치　　윤

(1) 바닥을 [　] 이 나게 닦았다.
(2) 반장은 [　][　] 자기가 선생님인 듯이 아이들에게 말했다.
(3) 봄이 되니 새싹들이 [　][　] 소리가 들려오는 듯하다.

넓히기 밑줄 친 낱말을 맞춤법에 맞게 고쳐 보세요.

(1) 식물에 대해 <u>만은</u> 것을 알 수 있지요.
→ [　][　]

(2) 머리가 <u>하얗케</u> 센 할머니는 허리도 구부러져 있어요.
→ [　][　][　]

시간
공부 날짜 [　] 월 [　] 일
푸는데 걸린 시간 [　] 분

확인
맞은 개수 써보기

독해	개/7개	어휘	개/8개

14

크고 힘센 동물이 작고 약한 동물을 만나면 어떤 사건이 펼쳐질까요? 잡아먹거나 괴롭힐까요? 그럴 수도 있지요. 하지만 따뜻하게 돌봐주고 사이좋게 지낼 수도 있어요.

1. 15점 2. 15점 3. 10점 4. 15점 5. 15점 6. 15점 7. 15점

한밤중이에요. 황소 아저씨네 추운 외양간에 하얀 달빛이 비치었어요. 그때 생쥐 한 마리가 외양간 모퉁이 벽 뚫린 구멍으로 얼굴을 쏙 내밀었어요. 생쥐는 쪼르르 황소 아저씨 등을 타고 저기 구유[1]쪽으로 달려갔어요.

황소 아저씨는 갑자기 등이 가려워 긴 꼬리를 세차게 후려쳤어요. 달려가던 생쥐는 황소 아저씨가 후려친 꼬리에 튕기어 그만 외양간 바닥에 동댕이쳐졌어요[2].

"넌 누구냐?"

황소 아저씨가 굵다란 목소리로 물었어요.

"저……. 생쥐예요. 동생들 먹을 것을 찾아 나왔어요. 우리 엄마께서 갑자기 돌아가셨어요."

황소 아저씨는 뜻밖이었어요.

"먹을 게 어디 있는데 남의 등을 타 넘고 가니?"

"저쪽 아저씨 구유에 밥찌꺼기가 있다고 건넛집 할머니께서 가르쳐 주셨어요. 제발 먹을 것을 가져가게 해 주세요."

"그랬니? 그럼 ㉠얼른 가져가거라. 동생들이 기다릴 테니 내 등 타 넘고 빨리 가거라."

"아저씨, 참말이에요? 고맙습니다."

생쥐는 열네 번이나 황소 아저씨 등을 타 넘었어요.

"이제 됐니?"

"네, 아저씨."

"그럼 오늘은 가서 푹 쉬고 내일 또 오너라."

이틀 뒤, 아기 생쥐들도 다 잘 볼볼 기어 다닐 수 있게 되었어요.

"생쥐야."

"네, 아저씨."

"동생들이 참 귀엽겠구나. 내일부터는 모두 함께 와서 맛난 것 실컷 먹으렴."

이튿날, 생쥐 남매들은 추녀[3] 밑 고드름을 녹여 눈곱도 닦고, 콧구멍도 씻고, 수염도 씻었어요.

"황소 아저씨!"

생쥐 다섯이 오르르 몰려왔어요.

"얼레? 모두 똑같구나!"

황소 아저씨는 생쥐들이 귀여워 두 눈이 오목오목 커졌어요.

생쥐들은 황소 아저씨랑 사이좋은 식구가 되었지요. 황소 아저씨 등을 타 넘고 다니며 술래잡기도 하고 숨바꼭질도 하였어요.

"오늘부터 나하고 함께 여기서 자자꾸나."

"네, 아저씨!"

생쥐들은 아저씨 목덜미에 붙어 자기도 하고, 겨드랑이에서 자기도 하였어요. 겨울이 다 지나도록 따뜻하게 따뜻하게 함께 살았어요.

낱말풀이

❶ 구유 소나 말 따위의 가축들에게 먹이를 담아 주는 그릇. 흔히 큰 나무토막이나 큰 돌을 길쭉하게 파내어 만든다.
❷ 동댕이치다 들어서 힘껏 내던지다. ❸ 추녀 네모지고 끝이 번쩍 들린 지붕의 귀퉁이 부분.

1 주제찾기

이야기에서 우리의 마음을 크게 울리는 내용은 무엇입니까? ( )

① 외양간에 동물들이 살았다.
② 작은 동물이 먹을 것을 찾았다.
③ 큰 동물이 작은 동물에게 등을 내주었다.
④ 동물들이 제각기 사는 곳을 나누자고 하였다.
⑤ 동물들이 서로 정을 나누며 함께 따뜻하게 살았다.

2 제목찾기

이야기에 나오는 마음씨 좋은 동물의 이름으로 글의 제목을 붙이세요.

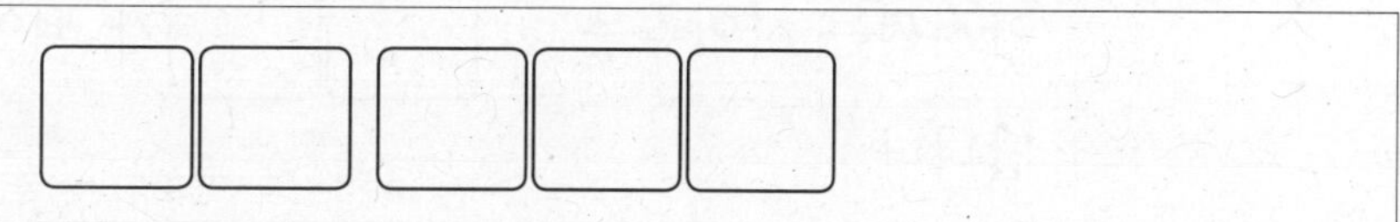

3
사실이해

황소 아저씨가 도와준 작은 동물을 고르세요. ( )

① 오리 ② 생쥐 ③ 강아지
④ 고양이 ⑤ 병아리

4
미루어알기

'황소 아저씨'에 대해 알맞은 말은 어느 것입니까? ( )

① 쌀쌀맞다. ② 어리석다.
③ 부지런하다. ④ 마음이 넓다.
⑤ 말을 잘한다.

5
세부내용

㉠과 뜻이 같은 낱말은 무엇입니까? ( )

① 어서 ② 절대
③ 대신 ④ 다음에
⑤ 나중에

6
적용하기

생쥐들이 황소 아저씨에게 해야 할 인사말은 어느 것입니까? ( )

① 고맙습니다! ② 미안합니다!
③ 안녕하세요! ④ 조심하세요!
⑤ 만나서 반가워요!

7
요약하기

이야기를 아래와 같이 간추렸습니다. 빈칸을 채우세요.

① [ ][ ]들은 ② [ ][ ] 아저씨에게 먹을 것을 얻게 되었어요. 황소 아저씨 덕분에 아기 생쥐들도 잘 자라게 되었지요. 생쥐들과 황소 아저씨는 사이좋은 ③ [ ][ ]가 되어 겨울이 다 지나도록 함께 살았답니다.

어휘 넓히기

뜻 낱말의 뜻풀이로 알맞은 것을 보기 에서 골라 괄호 안에 기호를 쓰세요.

(1) 굵다랗다 (　　)
(2) 갑자기 (　　)
(3) 실컷 (　　)

보기
㉠ 생각할 겨를도 없이 빨리.
㉡ 꽤 굵다.
㉢ 마음에 하고 싶은 대로 한껏.

다지기 아래 문장의 빈칸에 알맞은 낱말을 보기 에서 찾아 쓰세요.

보기
실컷　　굵다란　　갑자기

(1) 밭에서 캐어 온 □□□ 감자를 삶았다.
(2) 생일에 맛있는 케이크를 □□ 먹었다.
(3) □□□ 소나기가 쏟아지기 시작했다.

넓히기 밑줄 친 낱말을 맞춤법에 맞게 고쳐 보세요.

(1) 우리는 숨박꼭질하며 놀았어요.
→ □□□□

(2) 산등성을 땀을 흘리며 넘어써요.
→ □□□□

시간 공부 날짜 □ 월 □ 일
푸는데 걸린 시간 □ 분

확인 맞은 개수 써보기

독해	개/7개	어휘	개/8개

3주 14회
해설편 07쪽

15

집에서 기르는 강아지나 고양이가 종종 집 안을 어지럽힐 때가 있어요. 그런데 어떤 모습을 보면 마냥 귀엽고 예뻐 보여 마음이 풀릴 때가 있지요.

1. 15점 2. 15점 3. 10점 4. 15점 5. 15점 6. 15점 7. 15점

신발 물어 던진
강아지 녀석
혼내 주려다
그만뒀다.

살래살래❶ 흔드는
고 꼬리 땜에…….

우유병 넘어뜨린
고양이 녀석
꿀밤을 먹이려다
그만뒀다.

쫑긋쫑긋 세우는
고 귀 땜에…….

❶ 살래살래 작은 동작으로 몸의 한 부분을 가볍게 잇따라 가로흔드는 모양.

1

주제찾기

중심 내용은 무엇입니까? ( )

① 신발 물어 던진 강아지
② 우유병 넘어뜨린 고양이
③ 강아지와 고양이의 움직임
④ 강아지와 고양이에 대한 생각
⑤ 강아지의 꼬리와 고양이의 귀

2

제목찾기

시에서 말하는 사람의 생각을 나타내는 낱말로 제목을 붙이세요.

3

사실이해

강아지가 어떤 말썽을 부렸습니까? ( )

① 꼬리를 흔들었다.
② 고양이와 싸웠다.
③ 신발을 물어 던졌다.
④ 우유병을 넘어뜨렸다.
⑤ 다른 강아지를 데리고 왔다.

4

미루어알기

혼내 주고, 꿀밤을 먹이려다 그만둔 까닭은 무엇입니까? ( )

① 도망가서
② 얄미워서
③ 귀여워서
④ 외로워서
⑤ 무서워서

5 세부내용

몸의 한 부분을 작고 가볍게 자꾸 흔드는 모양을 흉내 내는 말은 무엇입니까? ( )

① 혼내 주려다
② 그만뒀다
③ 살래살래
④ 꿀밤
⑤ 쫑긋쫑긋

6 적용하기

이 시의 내용을 생각하며 다음 빈칸을 채워 보세요.

동생을 혼내 주려다
□□□□.
귀여운 눈 땜에…….

7 요약하기

이 시의 내용을 아래와 같이 간추렸습니다. 빈칸에 알맞은 낱말을 시에서 찾아 채우세요.

신발을 물어 던진 ① □□□를 혼내 주려다 꼬리를 살래살래 흔드는 걸 보고 ② □□□□.
우유병 넘어뜨린 ③ □□□에게 꿀밤을 먹이려다 귀를 쫑긋쫑긋 세우는 걸 보고 ④ □□□□.

어휘 넓히기

뜻

낱말의 뜻풀이로 알맞은 것을 보기에서 골라 괄호 안에 기호를 쓰세요.

(1) 그만두다 (　　　)
(2) 살래살래 (　　　)
(3) 쫑긋쫑긋 (　　　)

보기
㉠ 자꾸 입술이나 귀 따위를 빳빳하게 세우거나 뾰족이 내미는 모양.
㉡ 몸의 한 부분을 작고 가볍게 자꾸 흔드는 모양을 나타내는 말.
㉢ 할 일이나 하려고 하던 일을 안 하다.

3주 15회

해설편 08쪽

다지기

아래 문장의 빈칸에 알맞은 낱말을 보기에서 찾아 쓰세요.

보기

그만뒀다　　쫑긋쫑긋　　살래살래

(1) 동생은 싫다며 고개를 □□□□ 저었다.

(2) 밖으로 나가려다가 날씨가 너무 추워서 □□□□.

(3) 아이들은 선생님의 말씀에 귀를 □□□□ 세우고 듣고 있었다.

넓히기

밑줄 친 낱말을 맞춤법에 맞게 고쳐 보세요.

(1) 신발 무러 던진 강아지 녀석

→ □□

(2) 혼내 주려다 그만뒀다.

→ □□□□

시간 공부 날짜 □ 월 □ 일
푸는데 걸린 시간 □ 분

확인 맞은 개수 써보기

독해	개/7개	어휘	개/8개

어휘·어법 총정리

보기 의 낱말을 보고, 뜻과 어울리는 것을 골라 아래의 빈칸에 써보세요.

보기	모두	갑자기	그만두다	건강하다	윤	실컷

1. 하나도 빼거나 남기지 않고 다. [ ]
2. 몸이나 마음에 아무 탈이 없이 튼튼하다. [ ]
3. 반질반질하고 매끄러운 기운. [ ]
4. 생각할 겨를도 없이 빨리. [ ]
5. 마음에 하고 싶은 대로 한껏. [ ]
6. 하던 일을 그치고 안 하다. [ ]

어법 **다음 중 맞춤법에 맞는 것을 골라 동그라미 하세요.**

1. 높아서 [닷지 / 닿지] 않는다.
2. [강아게 / 강하게] 주먹으로 쳤다.
3. 눈이 [하야케 / 하얗게] 쌓였다.
4. [찾아 / 차자] 보다.
5. 산을 [넘어써요 / 넘었어요].
6. 싸움을 [그만뒀다 / 그만둿다].

나의 점수 확인하기

어휘	개 / 6개	어법	개 / 6개

4주차

회차 / 영역	제목	계획 및 점검
16 인문 | 설명문	바른 자세로 읽고 쓰기 • 나는 ( )월 ( )일 ( )시에 공부할 것입니다.	• 독해력에서 나의 점수는 ( )점입니다. • 어휘력에서 맞은 문제수는 ( )개/8개 입니다. • 어려웠던 문제는 ______ 번입니다.
17 사회 | 설명문	돌잡이 • 나는 ( )월 ( )일 ( )시에 공부할 것입니다.	• 독해력에서 나의 점수는 ( )점입니다. • 어휘력에서 맞은 문제수는 ( )개/8개 입니다. • 어려웠던 문제는 ______ 번입니다.
18 과학 | 설명문	시계 보기 • 나는 ( )월 ( )일 ( )시에 공부할 것입니다.	• 독해력에서 나의 점수는 ( )점입니다. • 어휘력에서 맞은 문제수는 ( )개/8개 입니다. • 어려웠던 문제는 ______ 번입니다.
19 산문문학 | 이야기	개미와 베짱이 • 나는 ( )월 ( )일 ( )시에 공부할 것입니다.	• 독해력에서 나의 점수는 ( )점입니다. • 어휘력에서 맞은 문제수는 ( )개/8개 입니다. • 어려웠던 문제는 ______ 번입니다.
20 운문문학 | 시	도토리 • 나는 ( )월 ( )일 ( )시에 공부할 것입니다.	• 독해력에서 나의 점수는 ( )점입니다. • 어휘력에서 맞은 문제수는 ( )개/8개 입니다. • 어려웠던 문제는 ______ 번입니다.

• 이번 주 독해력 문제에서 나의 점수는 평균 ( )점입니다.

• 이번 주 어휘력에서 맞은 문제수는 모두 ( )개입니다.

16

좋은 습관은 들이는 데 시간이 걸리지만 한번 들여 놓으면 오래오래 큰 도움이 된답니다. 다음 글을 읽어 보고 바르게 읽고 쓰는 습관을 알아봅시다.

1. 15점 2. 15점 3. 10점 4. 15점 5. 15점 6. 15점 7. 15점

책이나 신문 따위에 실려 있는 글의 뜻을 새겨보는 일을 '읽기'라고 합니다. 종이 위에 자기 생각이나 느낌을 글로 옮겨놓는 일을 '쓰기'라고 합니다. 읽기와 쓰기는 글자를 통해 이루어집니다. 바른 자세로 읽고 써야 글의 뜻을 잘 새길 수 있고, 생각이나 느낌을 잘 옮겨놓을 수 있습니다. 몸도 마음도 바르게 가져야 잘 읽고 쓸 수 있습니다.

글을 읽을 때, 머리를 약간 숙이고, 등뼈를 꼿꼿이 하고 앉아서, 글자를 좀 멀리 두고 읽어야 합니다. 그리고 밝은 곳에서 가끔 쉬면서 읽어야 합니다. 이렇게 해야 눈이 나빠지지 않고, 빨리 피곤해지지 않습니다. 마음은 읽는 일에만 쓸 수 있도록 해야 하고, 어떤 뜻을 담고 있는 글인지 스스로 새길 수 있도록 깊이 생각하며 읽어야 합니다. 집중하여 읽어서 글의 뜻을 새길 수 있어야 읽은 보람을 얻을 수 있기 때문입니다.

글을 쓸 때는 '무엇을, 왜, 어떻게'를 생각해 보고 써야 합니다. 무엇을 쓸 것인지, 왜 쓰는지, 어떻게 쓸 것인지 생각해 보아야 한다는 뜻입니다. 이 세 가지를 미리 생각해 보고 써야 뜻이 분명하고 짜임새가 있는 글이 될 수 있기 때문입니다. '나팔꽃의 생김새'를 쓰려고 하였다면, 무엇을 쓸 것인지 떠올린 것입니다. '사람들이 나팔꽃의 생김새를 잘 몰라서'를 떠올렸다면, 왜 쓰는지 생각한 것입니다. '나팔꽃의 생김새를 그림과 사진을 곁들여 자세히 설명하겠다.'고 마음먹었다면, (㉠   ) 쓸 것인지 떠올린 것입니다.

1

주제찾기

글쓴이가 강조한 내용은 무엇입니까? ( )

① 읽는 힘을 키워야 한다.

② 쓰기 연습을 많이 하여야 한다.

③ 여러 가지의 글을 읽어 보아야 한다.

④ 올바른 자세와 방법을 통해 잘 읽고 쓸 수 있다.

⑤ 쓰기 연습을 부지런히 하면서 읽기도 해야 한다.

2

글감찾기

글감으로 삼은 국어 공부의 두 가지를 글에서 찾아 쓰세요.

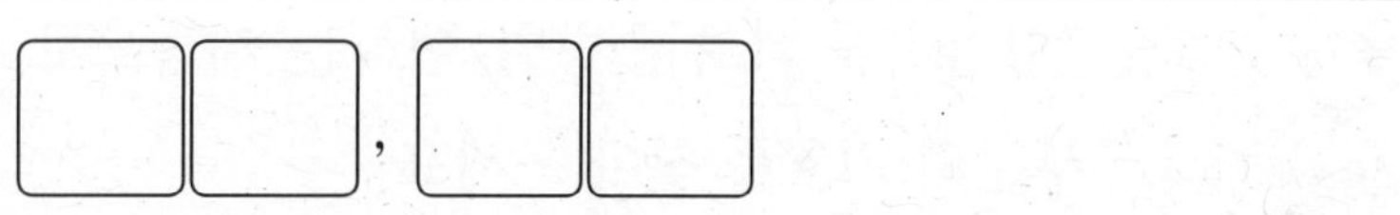

3

사실이해

읽기 자세로 알맞지 않은 것을 고르세요. ( )

① 머리를 약간 숙인다.

② 등뼈를 구부리고 앉는다.

③ 글자를 좀 멀리 두고 읽는다.

④ 밝은 곳에서 읽는다.

⑤ 가끔 쉬면서 읽는다.

4

미루어알기

㉠에 들어갈 말로 알맞은 말을 고르세요. ( )

① 왜

② 언제

③ 어디서

④ 무엇을

⑤ 어떻게

4주 16회

해설편 08쪽

5
세부내용

'한 가지 일에 모든 힘을 쏟아붓다.'라는 뜻을 가진 낱말은 무엇입니까? ( )

① 옮겨놓다
② 집중하다
③ 피곤하다
④ 설명하다
⑤ 떠올리다

6
적용하기

〈강아지를 기르는 방법〉이라는 제목으로 글을 쓰려고 합니다. '왜'에 대해 생각한 부분의 기호를 찾아 쓰세요.

> 저는 ㉠강아지를 기르는 방법에 대해 쓸 것입니다. ㉡책이나 인터넷에서 찾아보고, 주변에 강아지를 키우는 사람들에게 물어보려고 합니다. 그림과 사진을 넣어 자세히 쓸 것입니다. 이 글을 쓰려는 이유는 ㉢사람들이 강아지를 기르는 방법을 잘 알고 강아지에게 잘해 주기를 바라기 때문입니다.

( )

7
요약하기

글을 문단에 따라 다음과 같이 정리했습니다. 빈칸을 채우세요.

1문단	읽기와 쓰기의 뜻
2문단	읽기의 바른 ① □□
3문단	좋은 글쓰기의 ② □□

어휘 넓히기

뜻 낱말의 뜻풀이로 알맞은 것을 보기 에서 골라 괄호 안에 기호를 쓰세요.

(1) 새기다 (　　)
(2) 피곤하다 (　　)
(3) 분명하다 (　　)

보기
㉠ 몸이나 마음이 지치어 고달프다.
㉡ 잊지 아니하도록 마음속에 깊이 기억하다.
㉢ 흐릿하지 않고 확실하다.

다지기 아래 문장의 빈칸에 알맞은 낱말을 보기 에서 찾아 쓰세요.

보기
피곤해서　　새겨　　분명하게

(1) 나는 친구의 말을 마음에 ☐☐ 두었다.
(2) 글씨는 누구라도 알아볼 수 있게 ☐☐☐☐ 써야 한다.
(3) 너무 ☐☐☐☐ 이불 밖으로 나오지 못했다.

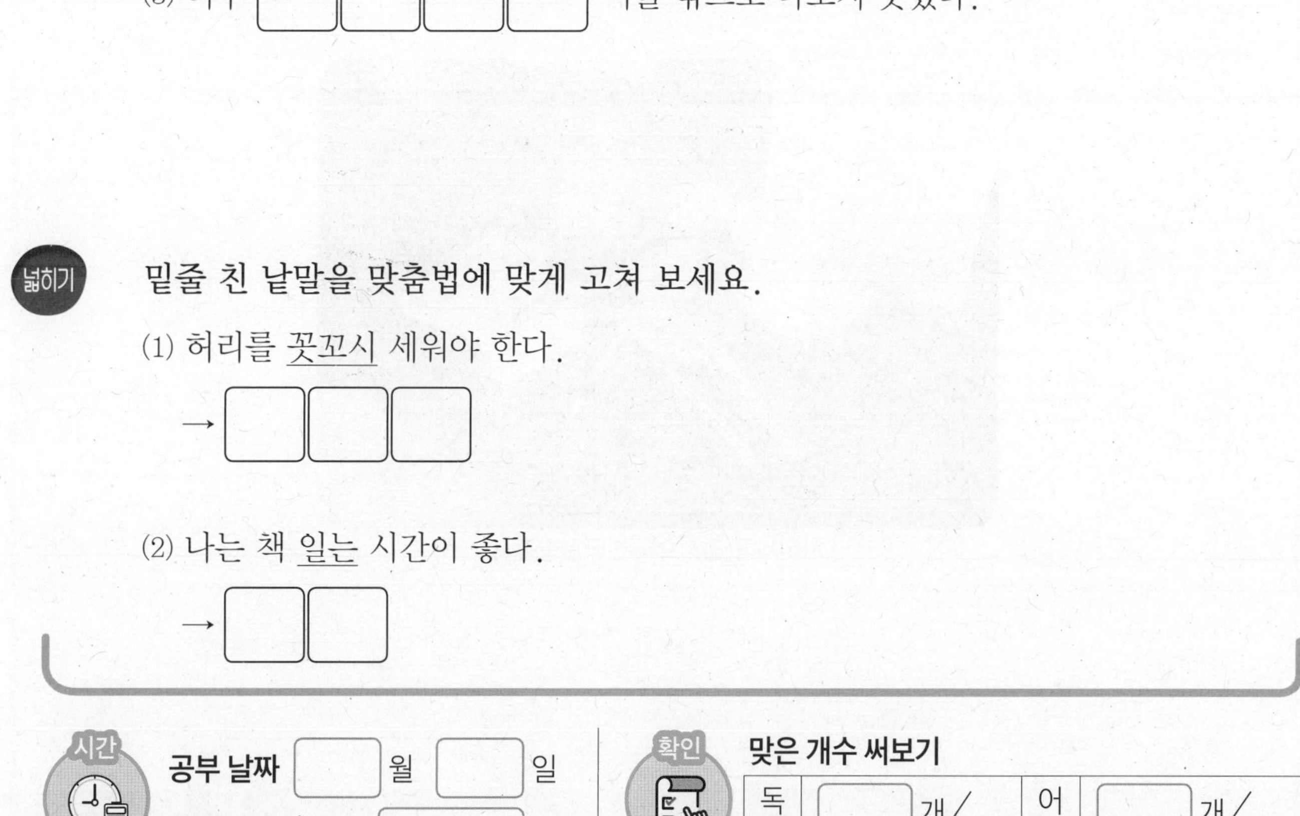

넓히기 밑줄 친 낱말을 맞춤법에 맞게 고쳐 보세요.

(1) 허리를 <u>꼿꼬시</u> 세워야 한다.
→ ☐☐☐

(2) 나는 책 <u>일는</u> 시간이 좋다.
→ ☐☐

시간 공부 날짜 ☐ 월 ☐ 일
푸는데 걸린 시간 ☐ 분

확인 맞은 개수 써보기

독해	개/7개	어휘	개/8개

4주 16회
해설편 08쪽

17

생각 열기

돌잡이 상에 올린 물건은 나름의 이유가 있답니다. 옛날에는 쌀, 떡, 책, 붓, 돈 등을 올렸어요. 오늘날에는 거기에 더해 마이크, 마우스, 청진기 등도 올린다고 해요. 여러분은 돌잡이 상에서 어떤 물건을 잡았는지 기억하나요?

점수 계산 1. 15점 2. 15점 3. 10점 4. 15점 5. 15점 6. 15점 7. 15점

우리 조상들은 아기의 첫 번째 생일에 돌잔치를 했습니다. 돌잔치에서는 맛있는 음식을 차려 나누어 먹고 돌잡이도 했습니다. 돌잡이는 아기가 여러 가지 물건 가운데에서 한두 개를 잡는 것입니다.

돌잡이 상 위에는 쌀, 떡, 책, 붓, 돈, 활, 실 등을 올려놓았습니다. 실을 잡는 아이는 오래 살 것이라고 생각했습니다. 책을 잡는 아이는 공부를 잘하게 될 것이라고 여겼습니다. (㉠) 쌀을 잡는 아이는 부자가 될 것이라고 했습니다.

우리 조상들은 돌잔치를 하면서 아기가 건강하고 행복하게 자라기를 바랐습니다.

〈사진제공(김지호)–한국관광공사〉

1
주제찾기

이 글의 중심 내용은 무엇입니까? ( )

① 돌잔치의 뜻
② 돌잔치를 하는 때
③ 백일 잔치를 하는 때
④ 돌잡이 상에 올리는 물건
⑤ 돌잔치에 하는 돌잡이의 뜻과 돌잡이 물건

2
글감찾기

글감을 글에서 찾아 쓰세요.

□□□

4주 17회

해설편 09쪽

3
사실이해

돌잡이 상에 올리는 물건으로 글에 나오지 않은 것을 고르세요. ( )

① 쌀
② 떡
③ 책
④ 돈
⑤ 북

4
미루어알기

돌잔치를 하면서 바란 것은 무엇입니까? ( )

① 돌잡이 상 위에 물건을 올리려고
② 태어난 지 100일째 되는 날을 축하하려고
③ 오랜만에 온 가족이 모일 자리를 만들려고
④ 아기가 건강하고 행복하게 자라기를 바라서
⑤ 할아버지, 할머니께 맛있는 음식을 대접하려고

5 세부내용

㉠에 들어갈 말을 고르세요. ( )

① 또
② 그래서
③ 따라서
④ 그러니까
⑤ 왜냐하면

6 적용하기

오늘날 돌잡이 상에 올리는 물건입니다. 그 의미가 알맞지 <u>않은</u> 것을 고르세요. ( )

① 청진기: 의사가 될 것
② 공: 운동선수가 될 것
③ 열쇠: 튼튼한 아이가 될 것
④ 마우스: 컴퓨터와 관련된 일을 할 것
⑤ 마이크: 노래를 잘하는 가수가 될 것

7 요약하기

돌잡이에 대해 아래와 같이 간추렸습니다. 빈칸을 채우세요.

① [ ][ ][ ]의 뜻	아기가 여러 가지 물건 가운데에서 한두 개를 잡는 것
돌잡이 상에 올리는 것	-쌀, 떡, 책, 붓, 돈, 활, 실 등 -실: ② [ ][ ] 살 것 -책: ③ [ ][ ]를 잘하게 될 것 -쌀: ④ [ ][ ]가 될 것

어휘 넓히기

뜻 낱말의 뜻풀이로 알맞은 것을 보기 에서 골라 괄호 안에 기호를 쓰세요.

(1) 올려놓다 (　　)
(2) 행복하다 (　　)
(3) 바라다 (　　)

보기
㉠ 어떤 물건을 무엇의 위에 옮겨 놓다.
㉡ 마음속으로 기대하다.
㉢ 삶에서 기쁨과 만족감을 느껴 흐뭇하다.

다지기 아래 문장의 빈칸에 알맞은 낱말을 보기 에서 찾아 쓰세요.

보기
행복하다　　바란다　　올려놓았다

(1) 동생의 감기가 빨리 낫기를 ☐☐☐.
(2) 언니는 모기약을 동생 손이 닿지 않는 곳에 ☐☐☐☐☐.
(3) 나는 학교생활이 즐겁고 ☐☐☐☐.

넓히기 밑줄 친 낱말을 맞춤법에 맞게 고쳐 보세요.

(1) 우리 조상들은 아기의 첫 번째 생일에 돌잔치를 해씁니다.
→ ☐☐☐☐

(2) 또 쌀을 잡는 아이는 부자가 될 껏이라고 했습니다.
→ ☐

시간 공부 날짜 ☐ 월 ☐ 일
푸는데 걸린 시간 ☐ 분

확인 맞은 개수 써보기

독해	개/7개	어휘	개/8개

18

시각과 시간은 달라요. 시각은 시간의 어떤 한 점을 말하고, 시간은 어떤 시각부터 어떤 시각까지의 사이를 말합니다. 다음 글을 읽고, 시계 보고 시각 알기에 대해 더 알아보아요.

1. 15점 2. 15점 3. 10점 4. 15점 5. 15점 6. 15점 7. 15점

만약 짧은 바늘이 숫자 1을 가리키면 1시, 숫자 2를 가리키면 2시가 되는 거야. 이때, 긴 바늘은 반드시 숫자 12를 가리켜야 해. 예를 들어 짧은 바늘이 숫자 3을 가리키고, 긴 바늘이 숫자 12를 가리키면 3시가 되는 거야.

12시에는
짧은 바늘과
긴 바늘이
겹치게 돼.
7시
12시

긴 바늘이 숫자 1을 가리키면 몇 분일까? 숫자 1은 다섯 번째 눈금이니까 5분을 나타내. 그러니까 만약 긴 바늘이 숫자 2를 가리키면 10분, 숫자 3을 가리키면 15분이 되는 거지.

5시 55분을
6시 5분 전
이라고 해.
3시 30분
5시 55분

시계의 짧은 바늘은 '시'를 나타낸다고 해서 '시침'이라고 하고, 긴 바늘은 '분'을 나타낸다고 해서 '분침'이라고 해. 시침과 분침만 있는 시계도 있고, 초를 나타내는 '초침'도 함께 있는 시계도 있어. 그럼 초침은 어떻게 읽냐고? 간단해. 분침과 같은 방법으로 읽으면 돼. 초침이 가리키는 작은 한 눈금은 1초를 나타내므로 초침이 숫

자 1을 가리키면 5초, 숫자 2를 가리키면 10초라고 읽어.

9시23분45초

4시37분10초

시침이 두 수 사이에 있으면 더 작은 수가 시가 돼.

4주 18회

해설편 09쪽

1 주제찾기

무엇을 설명하고 있습니까? ( )

① 시계의 생김새

② 시각을 알리는 숫자

③ 시계 보고 시각 알기

④ 시계에 나와 있는 숫자

⑤ 시간이 지나갈 때의 느낌

2 글감찾기

숫자가 그려진 둥근 물건의 이름을 글에서 찾아 쓰세요.

3 사실이해

시계에서 볼 수 <u>없는</u> 것은 무엇입니까? ( )

① 숫자

② 시침

③ 분침

④ 초침

⑤ 소리

4 미루어알기

시계에 나와 있는 가장 작은 수와 가장 큰 수는 각각 무엇입니까? ( )

① 1, 12
② 2, 11
③ 3, 10
④ 4, 9
⑤ 5, 8

5 세부내용

분침이 9에 있으면 몇 분입니까? ( )

① 15분
② 25분
③ 35분
④ 45분
⑤ 55분

6 적용하기

2시 30분일 때 시침은 어디에 있나요? ( )

① 1과 2 사이
② 2와 3 사이
③ 3과 4 사이
④ 4와 5 사이
⑤ 5와 6 사이

7 요약하기

문단의 주요 내용을 간추렸습니다. 빈칸을 채우세요.

1문단	몇 ① [ ] 인지 읽기
2문단	몇 ② [ ] 인지 읽기
3문단	몇 ③ [ ] 인지 읽기

어휘 넓히기

낱말의 뜻풀이로 알맞은 것을 보기 에서 골라 괄호 안에 기호를 쓰세요.

(1) 짧다 (　　　)
(2) 길다 (　　　)
(3) 가리키다 (　　　)

보기
㉠ 특별히 짚어 보이거나 알리다.
㉡ 한쪽 끝에서 다른 쪽 끝까지의 사이가 가깝다.
㉢ 잇닿아 있는 물체의 두 끝이 서로 멀다.

아래 문장의 빈칸에 알맞은 낱말을 보기 에서 찾아 쓰세요.

보기
짧다　　길다　　가리켰다

(1) 이 연필은 오래 써서 길이가 □□.

(2) 친구는 손가락으로 사물함을 □□□□.

(3) 토끼는 귀가 □□.

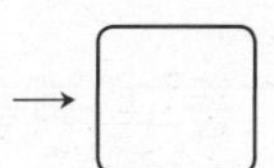

밑줄 친 낱말을 맞춤법에 맞게 고쳐 보세요.

(1) 부모님과 나를 합하면 <u>몃</u> 사람일까요?

→ □

(2) 노란 줄이 길고, 빨간 줄이 <u>짤바</u>요.

→ □□

공부 날짜 □ 월 □ 일
푸는데 걸린 시간 □ 분

맞은 개수 써보기

독해	개/7개	어휘	개/8개

4주 18회
해설편 09쪽

19

겨울은 모든 동물에게 힘든 계절이에요. 날씨가 너무 춥고, 먹이를 찾기가 어렵기 때문이지요. 그래서 겨울이 오기 전에 부지런히 먹을거리를 차곡차곡 준비해 둬야 한답니다.

점수 계산	1. 15점	2. 15점	3. 10점	4. 15점	5. 15점	6. 15점	7. 15점

어느 여름날, 숲속에 개미와 베짱이가 살고 있었습니다. 개미는 겨울 동안의 먹을거리를 모으기 위하여 땀을 뻘뻘 흘리며 일을 하였습니다. 그런데 베짱이는 잎사귀에 누워 노래를 부르며 놀기만 하였습니다.

개미가 걱정스러운 목소리로 베짱이에게 말하였습니다.

"베짱이야, 그렇게 놀기만 하다가는 겨울에 먹을거리가 없어 굶어 죽을지도 몰라. 어서 ㉠같이 일하자."

그러나 베짱이는 코웃음을 치면서 이렇게 말하였습니다.

"흥, 남의 일에 상관하지 마. 네 일이나 잘해. 그렇게 일만 하면서 무슨 재미로 사니?"

춥고 바람이 쌩쌩 부는 겨울이 되었습니다. 베짱이는 먹을거리 하나 없이 추위에 벌벌 떨며 숲속을 헤매고 있었습니다.

"아이, 추워. 아이고, 배고파. 지난여름에 개미가 해 준 말을 듣고 먹을거리를 모아 두었다면 얼마나 좋았을까?"

베짱이는 너무 배가 고파서 개미네 집을 찾아갔습니다.

개미네 가족은 따뜻한 집에서 맛있는 음식을 먹고 있었습니다.

베짱이는 불쌍한 표정을 지으며 개미에게 말하였습니다.

"개미야, 개미야. 미안하지만 나에게도 먹을거리를 좀 나누어 줄 수 있겠니?"

그러자 개미가 베짱이에게 말하였습니다.

"어서 와. 베짱이야. 내가 모아 둔 먹을거리가 많으니까 함께 사이좋게 나누어 먹자."

개미의 따뜻한 말에 베짱이는 자기도 모르게 눈물이 났습니다.

1 주제찾기

얻을 수 있는 가르침은 무엇입니까? ( )

① 여름에는 쉬어야 한다.
② 농부는 논밭에서 일해야 한다.
③ 미래에 일어날 일은 생각하지 않아도 된다.
④ 일할 사람은 일하고 놀 사람은 놀아야 한다.
⑤ 뒷날의 어려움을 이겨 낼 수 있도록 준비해 두어야 한다.

4주 19회

해설편 10쪽

2 제목찾기

이야기에 나오는 동물의 이름을 넣어 제목을 붙이세요.

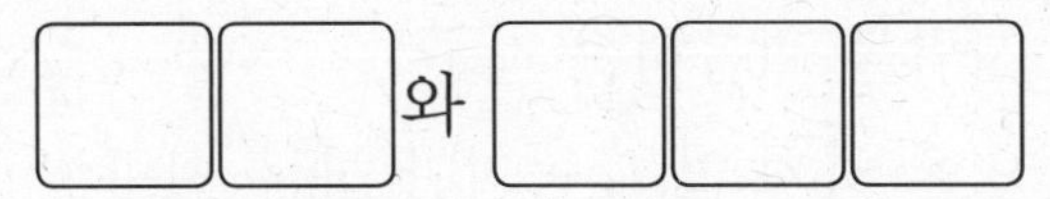

3 사실이해

베짱이가 노는 동안 개미는 무엇을 하였습니까? ( )

① 일했다.
② 잠잤다.
③ 쉬었다.
④ 하품했다.
⑤ 노래했다.

4
미루어알기

개미와 베짱이의 모습을 알맞게 짝지어 놓은 것은 어느 것입니까? ( )

개미	베짱이
① 말이 많다	말이 없다
② 부지런하다	게으르다
③ 시끄럽다	조용하다
④ 밝다	어둡다
⑤ 어리석다	똑똑하다

5
세부내용

㉠과 뜻이 같은 낱말은 무엇입니까? ( )

① 따로 ② 모여 ③ 함께
④ 혼자 ⑤ 각자

6
적용하기

베짱이로부터 어떤 사람을 떠올릴 수 있나요? ( )

① 열심히 공부하는 친구
② 남에게 거짓말하는 친구
③ 책상을 잘 정리하는 친구
④ 약한 사람을 괴롭히는 친구
⑤ 맡은 일은 하지 않고 놀기만 하는 친구

7
요약하기

이야기를 아래와 같이 간추렸습니다. 빈칸을 채워 완성하세요.

숲속에 부지런한 ① ☐☐와 게으른 ② ☐☐☐가 살았어요. 개미는 ③ ☐☐을 나기 위해 베짱이에게 같이 ④ ☐하자고 하였지만 베짱이는 말을 듣지 않았어요. 추운 겨울이 되자, 베짱이는 개미의 말을 듣지 않은 것을 뉘우치고 개미를 찾아갔어요. 개미는 따뜻하게 베짱이를 맞아 주고 ⑤ ☐☐☐☐를 나누어 주었답니다.

어휘 넓히기

뜻 낱말의 뜻풀이로 알맞은 것을 보기에서 골라 괄호 안에 기호를 쓰세요.

(1) 뻘뻘 (　　　)
(2) 쌩쌩 (　　　)
(3) 벌벌 (　　　)

보기
㉠ 춥거나 겁이 나거나 놀라서 몸이 자꾸 크게 떨리는 모양을 나타내는 말.
㉡ 땀을 매우 많이 흘리는 모양.
㉢ 바람이 잇따라 세차게 스쳐 지나갈 때 나는 소리를 나타내는 말.

다지기 아래 문장의 빈칸에 알맞은 낱말을 보기에서 찾아 쓰세요.

보기
벌벌　　쌩쌩　　뻘뻘

(1) 겨울바람이 ☐☐ 불어 모자가 날아갔다.

(2) 운동장에서 공을 차는 아이들은 땀을 ☐☐ 흘리고 있었다.

(3) 바깥에서 ☐☐ 떨었더니 감기가 들었다.

넓히기 밑줄 친 낱말을 맞춤법에 맞게 고쳐 보세요.

(1) 먹을거리를 모아 두었다면 얼마나 조았을까?

→ ☐☐☐☐

(2) 가난하여 매일 먹을꺼리 걱정을 했다.

→ ☐☐☐☐

시간 공부 날짜 ☐ 월 ☐ 일
푸는데 걸린 시간 ☐ 분

확인 맞은 개수 써보기

독해	개/7개	어휘	개/8개

4주 19회 해설편 10쪽

20

다음 시는 첫 연이 물음이고 둘째는 답이에요. 셋째 연은 또 물음이고 넷째는 답이에요. 전체로 보면, '물음-답'의 짝으로 되어 있지요. 가을철에 산이나 숲에 가면 도토리가 바닥에 떨어져 있는 것을 볼 수 있어요. 예쁜 갈색빛을 관찰하고 때굴때굴 굴려 보세요. 그렇다고 집으로 마구 가져가면 안 돼요. 동물들이 먹을 것이 부족해지거든요.

1. 15점 2. 15점 3. 15점 4. 15점 5. 10점 6. 15점 7. 15점

때굴때굴 도토리
어디서 왔나?

단풍잎 곱게 물든
산골서 왔지.

때굴때굴 도토리
어디서 왔나?

다람쥐 한눈팔 때[1]
굴러서 왔지

낱말 풀이

❶ 한눈팔다 마땅히 볼 데를 보지 않고 딴 곳을 보다.

1 주제찾기

시에서 어떤 모습을 떠올리게 되나요? ··········· (　　)

① 굴러가는 도토리
② 잎이 피어난 나무
③ 나무에 앉은 다람쥐
④ 도토리가 떨어지는 숲
⑤ 다람쥐를 찾고 있는 사람들

2 글감찾기

무엇을 보고 쓴 글입니까?

□□□

3 사실이해

굴러가는 모양을 재미있게 흉내 낸 말은 어느 것입니까? ··········· (　　)

① 때굴때굴
② 어디서
③ 곱게 물든
④ 한눈팔
⑤ 굴러서

4 미루어알기

시에서 어떤 계절을 떠올릴 수 있나요? ··········· (　　)

① 봄
② 여름
③ 가을
④ 겨울
⑤ 사계절

4주 20회 해설편 10쪽

5

세부내용

이 시는 네 묶음으로 되어 있습니다. 각각의 묶음은 몇 줄로 되어 있나요? ( )

① 한 줄
② 두 줄
③ 석 줄
④ 넉 줄
⑤ 다섯 줄

6

적용하기

도토리와 어울리는 말을 고르세요. ( )

① 동글동글
② 뾰족뾰족
③ 푸릇푸릇
④ 따끈따끈
⑤ 뭉게뭉게

7

요약하기

이 시의 내용을 아래와 같이 간추렸습니다. 빈칸에 알맞은 낱말을 시에서 찾아 채우세요.

① ☐☐☐는 단풍잎 곱게 물든 산골에서, ② ☐☐☐가 한눈팔 때 때굴때굴 굴러서 왔어요.

어휘 넓히기

뜻 낱말의 뜻풀이로 알맞은 것을 보기 에서 골라 괄호 안에 기호를 쓰세요.

(1) 때굴때굴 (　　　)
(2) 물들다 (　　　)
(3) 한눈팔다 (　　　)

보기
㉠ 작은 물건이 잇따라 구르는 모양. (대굴대굴보다 센 느낌.)
㉡ 마땅히 볼 데를 보지 않고 다른 데를 보다.
㉢ 빛이 스미거나 옮아서 색깔이 변하다.

다지기 아래 문장의 빈칸에 알맞은 낱말을 보기 에서 찾아 쓰세요.

보기
때굴때굴　　한눈팔며　　물든

(1) 동생은 □□□□ 걷다가 돌부리에 걸려 넘어지고 말았다.
(2) 노랗게 □□ 은행잎이 예쁘다.
(3) 알밤이 떨어져 □□□□ 굴러간다.

넓히기 밑줄 친 낱말을 맞춤법에 맞게 고쳐 보세요.

(1) 다람쥐야 너는 어디서 왔니?
→ □□

(2) 보고 싶을 떼 사진이라도 봐.
→ □

시간 공부 날짜 □ 월 □ 일
푸는데 걸린 시간 □ 분

확인 맞은 개수 써보기

독해	개/7개	어휘	개/8개

4주 20회

해설편 10쪽

어휘·어법 총정리

보기의 낱말을 보고, 뜻과 어울리는 것을 골라 아래의 빈칸에 써보세요.

보기	쌩쌩	짧다	피곤하다	한눈팔다	길다	뻘뻘

1. 몸이나 마음이 지치어 고달프다. [ ]
2. 잇닿아 있는 물체의 두 끝이 서로 멀다. [ ]
3. 한쪽 끝에서 다른 쪽 끝까지의 사이가 가깝다. [ ]
4. 땀을 매우 많이 흘리는 모양. [ ]
5. 바람이 잇따라 세차게 스쳐 지나갈 때 나는 소리를 나타내는 말. [ ]
6. 마땅히 볼 데를 보지 않고 다른 데를 보다. [ ]

어법 **다음 중 맞춤법에 맞는 것을 골라 동그라미 하세요.**

1. 책 [일는 / 읽는] 시간이다.
2. 공부를 [해씁니다 / 했습니다].
3. [몃 분 / 몇 분]이 지났다.
4. 얼마나 [좋았을까 / 조았을까]?
5. 밥을 [먹꼬 / 먹고] 있다.
6. [배짱이 / 베짱이]가 노래를 부른다.

나의 점수 확인하기

어휘	개 / 6개	어법	개 / 6개

5주차

회차 / 영역	제목	계획 및 점검
21 인문 설명문	아름다운 우리말 • 나는 ☐ 월 ☐ 일 ☐ 시에 공부할 것입니다.	• 독해력에서 나의 점수는 ☐ 점입니다. • 어휘력에서 맞은 문제수는 ☐ 개 / 8개 입니다. • 어려웠던 문제는 ______ 번입니다.
22 사회 설명문	건강과 목욕 • 나는 ☐ 월 ☐ 일 ☐ 시에 공부할 것입니다.	• 독해력에서 나의 점수는 ☐ 점입니다. • 어휘력에서 맞은 문제수는 ☐ 개 / 8개 입니다. • 어려웠던 문제는 ______ 번입니다.
23 과학 주장의 글	물 오염을 막자 • 나는 ☐ 월 ☐ 일 ☐ 시에 공부할 것입니다.	• 독해력에서 나의 점수는 ☐ 점입니다. • 어휘력에서 맞은 문제수는 ☐ 개 / 8개 입니다. • 어려웠던 문제는 ______ 번입니다.
24 산문문학 이야기	바가지 꽃 • 나는 ☐ 월 ☐ 일 ☐ 시에 공부할 것입니다.	• 독해력에서 나의 점수는 ☐ 점입니다. • 어휘력에서 맞은 문제수는 ☐ 개 / 8개 입니다. • 어려웠던 문제는 ______ 번입니다.
25 운문문학 시	좋겠다 • 나는 ☐ 월 ☐ 일 ☐ 시에 공부할 것입니다.	• 독해력에서 나의 점수는 ☐ 점입니다. • 어휘력에서 맞은 문제수는 ☐ 개 / 8개 입니다. • 어려웠던 문제는 ______ 번입니다.

• 이번 주 독해력 문제에서 나의 점수는 평균 ☐ 점입니다.

• 이번 주 어휘력에서 맞은 문제수는 모두 ☐ 개입니다.

21

아주 달게 곤히 자는 잠을 무엇이라고 할까요? 단잠이라고 해요. 그럼, 거짓으로 자는 척하는 잠은 무엇이라고 할까요? 꾀잠이에요. 와, 잠이라고 다 같은 잠이 아니었네요!

1. 15점 2. 15점 3. 10점 4. 15점 5. 15점 6. 15점 7. 15점

우리말에는 잠을 가리키는 재미있는 말이 많습니다. 그중에는 동물의 모양에 빗댄 것이 여럿 있습니다.

갓난아이가 두 팔을 머리 위로 벌리고 자는 잠을 나비잠이라고 합니다. 깊이 잠든 사랑스러운 아기의 모습과 귀엽고 예쁜 나비가 잘 어울립니다. 또, 새우처럼 등을 구부리고 자는 잠을 새우잠이라고 합니다. 옆으로 누워서 불편하게 자는 모습이 새우와 비슷하여 붙여진 이름입니다. 깊이 들지 못하고 자주 놀라 깨는 잠을 노루잠이라고 합니다. 노루잠은 고양이를 뜻하는 '괭이'가 붙여진 이름인 '괭이잠'이라고도 불리는데, 노루나 고양이처럼 작은 소리에도 예민해 (　　㉠　　)는 의미가 담겨 있답니다.

1

주제찾기

글의 중심 내용은 무엇입니까? ( )

① 잠과 우리말
② 잠과 동물의 모양
③ 갓난아이가 자는 모양
④ 새우와 비슷한 모양의 잠
⑤ 잠을 가리키는 재미있는 우리말

2

제목찾기

빈칸을 채워 제목을 붙이세요.

☐ 이름

3

사실이해

갓난아이가 두 팔을 머리 위로 벌리고 자는 잠을 무엇이라고 합니까? ( )

① 나비잠
② 새우잠
③ 노루잠
④ 괭이잠
⑤ 발편잠

4

미루어알기

㉠에 들어갈 말로 알맞은 것을 고르세요. ( )

① 푹 잔다
② 코를 곤다
③ 자주 깬다
④ 바로 잠든다
⑤ 일찍 일어난다

해설편 11쪽

5 세부내용

동물 이름에 빗댄 잠 이름이 아닌 것은 어느 것입니까? ( )

① 노루잠
② 나비잠
③ 새우잠
④ 괭이잠
⑤ 꽃잠

6 적용하기

'개잠'에 대한 설명입니다. 공통으로 들어갈 낱말을 쓰세요.

> ☐처럼 다리와 팔을 오그리고 옆으로 누워 자는 잠을 개잠이라고 합니다. ☐가 깊이 잠들지 않듯이, 깊게 자지 못하고 설치는 잠을 빗대어 개잠이라 부르기도 합니다.

7 요약하기

잠을 가리키는 우리말을 간추렸습니다. 빈칸을 채우세요.

① ☐☐☐	갓난아이가 두 팔을 머리 위로 벌리고 자는 잠
새우잠	② ☐☐처럼 등을 구부리고 자는 잠
③ ☐☐☐, 괭이잠	깊이 들지 못하고 자꾸 놀라 깨는 잠

어휘 넓히기

뜻

낱말의 뜻풀이로 알맞은 것을 보기 에서 골라 괄호 안에 기호를 쓰세요.

(1) 빗대다 (　　)
(2) 갓난아이 (　　)
(3) 예민하다 (　　)

보기
㉠ 무엇인가를 느끼는 능력이 빠르고 뛰어나다.
㉡ 태어난 지 얼마 안 되는 아이.
㉢ 곧바로 말하지 않고 빙 둘러서 말하다.

다지기

아래 문장의 빈칸에 알맞은 낱말을 보기 에서 찾아 쓰세요.

보기
갓난아이　　예민하다　　빗대어

(1) 수수께끼는 바로 말하지 않고 어떤 물건에 □□□ 묻고 맞히는 것이다.

(2) 개는 냄새에 □□□□.

(3) □□□□가 엄마 품에 안긴 채 쌕쌕거리며 잠을 잔다.

넓히기

밑줄 친 낱말을 맞춤법에 맞게 고쳐 보세요.

(1) 그 연못은 기피를 알 수 없어.

→ □□

(2) 여프로 방향을 바꾸어 도망갔다.

→ □□□

시간 공부 날짜 □ 월 □ 일

푸는데 걸린 시간 □ 분

확인 맞은 개수 써보기

독해	개/7개	어휘	개/8개

5주 21회

해설편 11쪽

22

1,600명이 들어갈 수 있는 목욕탕을 상상해 보세요. 어마어마하지요? 그런 엄청난 목욕탕이 2천 년 전에 있었다고 해요. 왜 그렇게 씻는 것을 중요하게 생각했을까요?

1. 15점 2. 15점 3. 10점 4. 15점 5. 15점 6. 15점 7. 15점

옛날 로마 시대로 여행을 떠나 볼까요? 로마는 대중목욕탕이 처음 생긴 곳으로 유명하죠. 이 목욕탕이 바로 로마인들의 건강 비결이랍니다.

로마의 대중목욕탕은 큰 사우나[❶]가 있고, 정원과 도서관을 비롯해 운동 시설까지 갖추어 놓아서 편하게 쉴 수 있는 곳이었다고 해요.

로마의 목욕탕은 몸을 씻고 쉴 수 있는 곳임과 동시에 '병을 치료하는 시설'이기도 했답니다. 아직 병을 고치는 학문이 과학적으로 발달하기 전이었기 때문에 로마 시대 사람들은 병을 고쳐주는 신이 있다고 믿었어요. 태양신의 아들이며 병을 고쳐 주는 신인 아스클레피오스를 모시는 신전[❷]은 늘, 병을 낫게 해달라고 기도하는 사람들로 북적댔답니다. 신전에는 환자들을 위한 많은 시설이 있었어요. ㉠그중 가장 중요한 것이 목욕탕이었답니다.

왜 목욕을 하면 건강에 좋을까요?

우리 몸은 끊임없이 죽은 피부 세포들을 밖으로 떨어내요. 그리고 생활하면서 많은 양의 먼지를 뒤집어쓰지요. 이런 더러운 것들이 피부에 쌓이면 병균이 침투하기에 좋은 자리가 마련된답니다. (　㉡　) 비누와 따뜻한 물로 자주 목욕을 하면 우리 몸이 깨끗해져서, 병균이 자랄 만한 자리를 주지 않지요. 또, ㉢더운 물은 근육을 쉬게 하고 혈관을 늘어나게 해서, 피가 몸을 잘 돌 수 있게 해 주지요.

❶ 사우나 여기서는 '목욕하는 곳'이라는 뜻. ❷ 신전 신을 모신 큰 건물.

1
주제찾기

글쓴이가 전하고자 한 중심 생각은 무엇입니까? ( )

① 목욕은 건강에 좋다.
② 로마인들은 신을 믿었다.
③ 목욕탕을 많이 세워야 한다.
④ 목욕을 하면 세포가 살아난다.
⑤ 우리 몸은 많은 먼지를 뒤집어쓴다.

2
글감찾기

글감을 찾아 한 낱말로 답하세요.

3
사실이해

로마의 대중목욕탕에 없었던 것은 무엇인가요? ( )

① 학교
② 정원
③ 사우나
④ 도서관
⑤ 운동 시설

4
미루어알기

㉠의 까닭으로 알맞은 것은 어느 것입니까? ( )

① 목욕탕이 넓었기 때문에
② 목욕탕에 신을 모셨기 때문에
③ 목욕탕에 사람들이 많았기 때문에
④ 목욕탕을 신전이라고 생각했기 때문에
⑤ 목욕탕이 병을 치료하는 시설이었기 때문에

5주 22회

해설편 11쪽

5 세부내용

㉡에 알맞은 말은 무엇입니까? ( )

① 결국
② 괜히
③ 하지만
④ 하마터면
⑤ 왜냐하면

6 적용하기

㉢에 비추어 보면, 목욕을 하기 좋은 때는 언제입니까? ( )

① 열이 날 때
② 숙제가 많을 때
③ 친구가 집에 놀러 왔을 때
④ 운동을 해서 몹시 피곤할 때
⑤ 아침에 일어나서 기분이 좋을 때

7 요약하기

문단의 주요 내용을 아래와 같이 간추렸습니다. 빈칸에 알맞은 말을 쓰세요.

1문단	① □□의 대중목욕탕
2문단	병을 ② □□하는 시설이었던 로마의 목욕탕
3문단	목욕이 ③ □□에 좋은 까닭

어휘 넓히기

뜻 **낱말의 뜻풀이로 알맞은 것을 보기에서 골라 괄호 안에 기호를 쓰세요.**

(1) 북적이다 (　　)
(2) 뒤집어쓰다 (　　)
(3) 마련되다 (　　)

보기
㉠ 머리 위에서부터 덮어쓰다.
㉡ 많은 사람이 한곳에 모여 정신없이 들끓다.
㉢ 준비되거나 헤아려 갖춰지다.

다지기 **아래 문장의 빈칸에 알맞은 낱말을 보기에서 찾아 쓰세요.**

보기
마련되어　　뒤집어쓰며　　북적여서

(1) 아파트 단지에 놀이터가 □□□□ 있다.
(2) 그 행사장은 사람들로 □□□□ 들어갈 수 없었다.
(3) 우리 가족은 먼지를 □□□□□ 대청소를 했다.

넓히기 **밑줄 친 낱말을 맞춤법에 맞게 고쳐 보세요.**

(1) 병을 <u>낳게</u> 해달라고 기도하는 사람들

→ □□

(2) 신전에는 환자들을 위한 <u>마는</u> 시설이 있었어요.

→ □□

시간 공부 날짜 (　　)월 (　　)일
푸는데 걸린 시간 (　　)분

확인 맞은 개수 써보기

독해	개/7개	어휘	개/8개

5주 22회

해설편 11쪽

23

살아있는 것들은 물이 없으면 살 수가 없어요. 살아있는 것들에게는 물이 그만큼 소중하다는 뜻이에요. 그냥 물이 아니라, 깨끗한 물이어야 해요. 깨끗한 물을 계속해서 먹으려면, 물이 더러워지지 않도록 해야겠지요. 또 물이 더러워지지 않도록 하려면, 왜 물이 더러워지는지 알아야 할 거예요.

1. 15점 2. 15점 3. 10점 4. 15점 5. 15점 6. 15점 7. 15점

물은 더러워지더라도 스스로 깨끗해지는 힘을 갖고 있어서 어느 정도 시간이 지나면 더러워진 물이 저절로 깨끗해져요. 하지만 물속에 물을 더럽게 하는 것들이 갑자기 많아지거나 오랜 시간 계속해서 쌓이면 물이 스스로 깨끗해지는 힘이 사라지고 말아요. 한번 더러워진 물을 다시 깨끗하게 하려면 매우 많은 양의 ㉠깨끄탄 물과 시간이 필요해요.

물이 더러워지는 가장 큰 까닭은 사람들이 살아가면서 버리는 더러운 물 때문이에요. 특히 음식물 찌꺼기와 합성 세제[1], 샴푸 등이 물을 심하게 더럽혀요. 공장에서 물건을 만들고 버리는 물에도 여러 가지 해로운 것이 섞여 있으므로 큰 문제가 생길 수 있어요. 그리고 농사를 지을 때 쓰는 농약과 비료, 함부로 버리는 가축의 오줌과 똥도 물을 더럽히는 원인이에요. 또 공기 중에 떠다니는 더러운 물질이, 내리는 비에 섞여 땅, 강, 호수에 떨어지면서 물이 더럽혀지기도 해요.

물이 더러워지는 것을 줄이는 방법을 알아보아요.

지키기 1: 합성 세제 사용을 줄이고, 천연 세제 사용하기. 천연 성분으로 만들어진 세제로 빨래와 설거지를 해요. 샴푸 대신 비누를 사용하면 물이 더러워지는 것을 줄일 수 있지요.

지키기 2: 사용한 물도 함부로 버리지 않기. 쌀을 씻은 물은 설거지를 할 때나 화분에 물을 줄 때 다시 사용해요. 빨래할 때 마지막으로 헹군 물은 걸레를 빨거나 바닥을 청소할 때 쓰면 좋지요.

지키기 3: 음식은 먹을 만큼만 만들고 남기지 않기. 음식은 먹을 수 있는 만큼만 만들어요. 또 음식점에서 먹을 만큼 먹고, 남은 음식은 집으로 싸 가지고 가요.

지키기 4: 물을 아껴서 사용하기. 양치나 세수를 할 때는 반드시 물을 받아 놓고 써요. 설거지나 차를 청소할 때도 물을 통에 받아서 사용해요. 화장실 변기에는 벽돌이나 물이 가득 든 작은 생수병을 넣어 두어요.

지키기 5: 골짜기나 강, 바다를 더럽히지 않기. 골짜기에 흐르는 물에 소변을 보거나 쓰레기를 버리면 안 돼요. 몸을 씻거나 설거지, 빨래도 하지 말아야 하지요. 자연은 우리 모두의 것이므로 소중하게 여기는 마음이 필요해요.

❶ 합성 세제 해로운 물질을 섞어서 만드는데, 물에 풀어서 물건의 표면에 붙은 더러운 때를 씻어 내는 데 쓰는 물질.

5주 23회

해설편 12쪽

1 주제찾기

글쓴이의 주장은 무엇입니까? ( )

① 물은 저절로 깨끗해진다.
② 물은 사람들이 일부러 더럽힌다.
③ 물이 더러워지지 않게 노력해야 한다.
④ 물을 함부로 버리기 때문에 물이 더러워진다.
⑤ 농사지을 때 농약이나 비료를 쓰지 말아야 한다.

2 글감찾기

글감을 글에서 찾아 한 낱말로 쓰세요.

☐

3 사실이해

물을 더럽히는 것이 아닌 것을 고르세요. ( )

① 음식물 찌꺼기 ② 합성 세제
③ 농약 ④ 가축의 오줌과 똥
⑤ 비

4
미루어알기

글을 읽고 알 수 있는 것은 무엇입니까? ( )

① 물을 더럽히는 것은 동물들이다.
② 물은 스스로 깨끗해지려는 힘이 없다.
③ 골짜기나 강, 바다는 더러워지지 않는다.
④ 한번 사용한 물은 다시 쓰지 않고 버려야 한다.
⑤ 한번 더러워진 물을 깨끗하게 하려면 많은 물과 시간이 필요하다.

5
세부내용

㉠을 맞춤법에 맞게 고쳐 쓰세요.

□	□	□

6
적용하기

다음 중 물이 더러워지는 것을 막으려고 노력한 사람을 고르세요. ( )

① 예진: 샴푸로 머리를 감았다.
② 유빈: 골짜기의 물로 설거지를 했다.
③ 주영: 수돗물을 틀어놓고 세수를 하였다.
④ 수정: 식당에서 음식을 마음껏 담고 나중에 남겼다.
⑤ 미경: 쌀을 씻은 물로 설거지를 했다.

7
요약하기

문단의 주요 내용을 다음과 같이 간추렸습니다. 빈칸을 채우세요.

1문단	스스로 깨끗해지는 ① □ 을 가진 물
2문단	물이 더러워지는 ② □□
3문단	물이 더러워지는 것을 줄이는 ③ □□ 들 지키기 1: 합성 세제 사용을 줄이고, 천연 세제 사용하기 지키기 2: 사용한 물도 함부로 버리지 않기 지키기 3: 음식은 먹을 만큼만 만들고 남기지 않기 지키기 4: 물을 아껴서 사용하기 지키기 5: 골짜기나 강, 바다를 더럽히지 않기

어휘 넓히기

뜻 낱말의 뜻풀이로 알맞은 것을 보기 에서 골라 괄호 안에 기호를 쓰세요.

(1) 저절로 (   )
(2) 해롭다 (   )
(3) 함부로 (   )

보기
㉠ 나쁜 영향을 미치는 점이 있다.
㉡ 다른 힘을 빌리지 않고 제 스스로.
㉢ 조심하거나 깊이 생각하지 않고 마음 내키는 대로 마구.

다지기 아래 문장의 빈칸에 알맞은 낱말을 보기 에서 찾아 쓰세요.

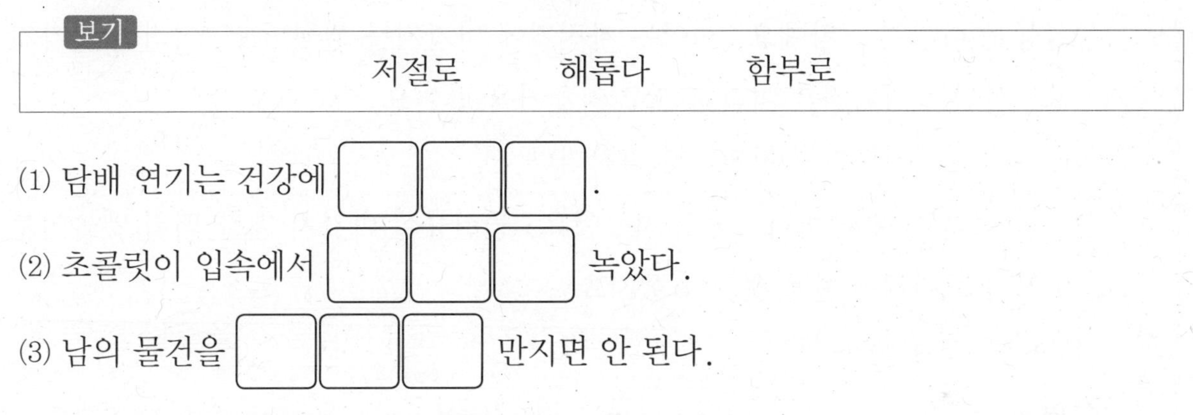

보기
저절로   해롭다   함부로

(1) 담배 연기는 건강에 ☐☐☐.
(2) 초콜릿이 입속에서 ☐☐☐ 녹았다.
(3) 남의 물건을 ☐☐☐ 만지면 안 된다.

넓히기 밑줄 친 낱말을 맞춤법에 맞게 고쳐 보세요.

(1) 친구가 나를 피하는 까닥이 궁금했다.

→ 

(2) 우리는 골자기에서 가재를 잡았다.

→ 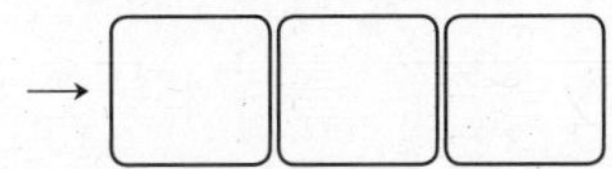

공부 날짜 ☐ 월 ☐ 일
푸는데 걸린 시간 ☐ 분

맞은 개수 써보기

독해	☐ 개/7개	어휘	☐ 개/8개

5주 23회
해설편 12쪽

24

바가지란 박을 두 쪽으로 쪼개거나 플라스틱으로 비슷하게 만들어 물을 푸거나 물건을 담는 데 쓰는 그릇을 말해요. 바가지로 물을 푸거나 물건을 담는 것 말고도 또 무엇을 할 수 있을까요?

1. 15점 2. 15점 3. 10점 4. 15점 5. 15점 6. 15점 7. 15점

선이네 동네에 슈퍼마켓이 새로 문을 열었는데, 손님들에게 선물로 플라스틱 바가지를 나누어 주었어요. 선이도 엄마를 따라 그 슈퍼마켓에 갔다가 바가지를 하나 받았어요.

"엄마, 이 바가지 내 바가지 해도 돼?"

선이가 묻자, 엄마가 빙그레 웃었어요.

"그러렴."

선이는 바가지를 머리에 써 보았어요.

둥글둥글 바가지 모자예요. 선이는 자전거에 바가지를 씌웠어요. 이러면 바가지 자전거지요. 선이는 바가지를 머리에 쓰고 자전거를 탔어요.

"따르릉따르릉, 바가지 자전거가 나갑니다."

선이는 목욕할 때도 바가지를 가져갔어요. 둥실둥실 바가지 배를 띄워 뱃놀이를 했어요. 바가지로 머리에 물을 붓기도 했지요.

"으아, 바가지 폭포다!"

선이는 머리에 물을 퍼부으며 소리를 질러 댔어요.

바가지가 깨졌어요!

금이 쫙쫙 가고, 구멍도 뻥 뚫렸어요. 엄마가 테이프를 붙여 주었어요.

선이는 조심스레 바가지에 물을 담아 보았어요. 그런데 바가지에서 물이 질질 샜어요. 조금 있으니까 테이프도 떨어져 버렸고요. 선이는 바가지를 다시 엄마한테 가져갔어요.

"엄마, 물이 새. 테이프 다시 붙여 줘."

하지만 이번에는 엄마가 고개를 저었어요.

"이 바가지, 못 쓰겠다. 그냥 버리자."

그러자 선이는 깨진 바가지를 품에 꼭 안았어요.

엄마가 오래오래 생각하다가 말했어요.

"선이야, 이 바가지로 화분을 만들면 어떨까? 마침 심을 씨앗도 있는데."

"음, 화분? 바가지 화분? 좋아!"

그러던 어느 날이었어요.

"엄마, 꽃이야. 꽃이 피었어!"

"선이야, 박꽃이야. 우리 선이가 아주 잘 가꾸었구나. 박꽃이 지면 그 자리에 박이 열릴 거야. 가을에 박이 잘 여물면 다시 바가지를 만들자."

"바가지? 박으로 바가지를 만들어? 그럼 이 박꽃은 (㉠)이네!"

1 주제찾기

이야기의 중심 내용은 무엇입니까? ( )

① 엄마와 딸이 시장에 갔다.
② 시장에서 엄마가 물건을 사 왔다.
③ 동네에 슈퍼마켓이 새로 문을 열었다.
④ 꽃이 피는 장소에 따라 다른 이름을 붙였다.
⑤ 바가지로 여러 가지 재미있는 놀이를 하였다.

5주 24회

해설편 12쪽

2 글감찾기

선이가 놀이할 때 사용한 물건의 이름을 쓰세요.

3 사실이해

이야기에 나온 꽃의 이름은 무엇입니까? ( )

① 과꽃
② 박꽃
③ 분꽃
④ 나팔꽃
⑤ 진달래꽃

4
미루어알기

선이가 바가지를 받고 좋아한 까닭은 무엇입니까? ( )

① 바가지를 처음 보았기 때문이다.
② 바가지가 예쁘게 생겼기 때문이다.
③ 바가지로 할 놀이를 생각했기 때문이다.
④ 바가지가 선이네 집에는 없었기 때문이다.
⑤ 바가지를 주신 엄마의 사랑을 느꼈기 때문이다.

5
세부내용

㉠에 들어갈 말은 무엇인가요? ( )

① 바가지 꽃 ② 바가지 모자
③ 바가지 가면 ④ 바가지 머리
⑤ 바가지 자전거

6
적용하기

바가지를 얼굴에 쓰면 무엇이 될까요? ( )

① 바가지 꽃
② 바가지 모자
③ 바가지 가면
④ 바가지 자동차
⑤ 바가지 자전거

7
요약하기

이야기의 흐름을 아래와 같이 간추렸습니다. 빈칸을 채워 완성하세요.

① □□□ 선물을 받은 선이 → 쓰임이 바뀌는 바가지 →
깨어져서 버려지게 된 바가지 → ② □□이 된 바가지 →
③ □□을 피우게 된 바가지

어휘 넓히기

뜻 낱말의 뜻풀이로 알맞은 것을 보기 에서 골라 괄호 안에 기호를 쓰세요.

(1) 빙그레 (　　)
(2) 둥실둥실 (　　)
(3) 마침 (　　)

보기
㉠ 입을 약간 벌리고 소리 없이 부드럽게 웃는 모양.
㉡ 어떤 기회나 경우에 딱 알맞게.
㉢ 물체가 공중이나 물 위에 가볍게 떠서 잇따라 움직이는 모양.

다지기 아래 문장의 빈칸에 알맞은 낱말을 보기 에서 찾아 쓰세요.

보기
마침　　빙그레　　둥실둥실

(1) 친구가 □□□ 웃으며 나를 쳐다본다.
(2) 강을 건너야 하는데 □□ 배가 있었다.
(3) 냇물 위에 종이배 하나가 □□□□ 떠가고 있다.

넓히기 밑줄 친 낱말을 맞춤법에 맞게 고쳐 보세요.

(1) 바가지로 머리에 물을 붇기도 했지요.
→ □□□

(2) 꼬치 피었어!
→ □□

5주 24회

해설편 12쪽

시간 공부 날짜 □ 월 □ 일
푸는데 걸린 시간 □ 분

확인 맞은 개수 써보기

독해	개/7개	어휘	개/8개

25

무언가에 부러운 감정을 느낀 적이 있나요? 다음 시에서 말하는 사람이 무엇을 보고 '좋겠다'라고 생각했는지 같이 살펴봐요.

1. [15점] 2. [15점] 3. [10점] 4. [15점] 5. [15점] 6. [15점] 7. [15점]

꽃잎은 좋겠다.
방울방울 이슬이
닦아 주니까.

나무는 좋겠다.
주룩주룩 소낙비가
씻어 주니까.

1
주제찾기

무엇을 말한 시입니까? ( )

① 물건의 모양
② 들려오는 소리
③ 사람의 아름다움
④ 시원스러운 기분
⑤ 꽃과 나무를 보고 떠올린 느낌

2
글감찾기

시에서 말하는 사람의 느낌을 드러낸 낱말을 찾아 쓰세요.

□□□

3
사실이해

시에서 말하는 사람이 처음 떠올린 것은 무엇입니까? ( )

① 꽃잎
② 방울
③ 이슬
④ 나무
⑤ 소낙비

4
미루어알기

'좋겠다.'라고 말한 까닭은 무엇입니까? ( )

① 빛이 나니까.
② 마음에 드니까.
③ 재미있게 노니까.
④ 고운 소리가 나니까.
⑤ 깨끗하게 씻겨 주니까.

5주 25회
해설편 13쪽

5
세부내용

시를 끝맺으면서 거듭 나타난 낱말은 무엇입니까? ( )

① 좋겠다
② 방울방울
③ 주니까
④ 소나비가
⑤ 주룩주룩

적용하기

스스로 겪은 일을 생각하며 빈칸을 채워 봅시다.

동생은 □□□.
매일 놀기만 하니까.

7
요약하기

이 시의 내용을 아래와 같이 간추렸습니다. 빈칸에 알맞은 낱말을 시에서 찾아 채우세요.

① □□은 이슬이 닦아 주니까 ② □□□.
③ □□는 소낙비가 씻어 주니까 ④ □□□.

어휘 넓히기

날말의 뜻풀이로 알맞은 것을 보기 에서 골라 괄호 안에 기호를 쓰세요.

(1) 방울방울 (　　　)
(2) 주룩주룩 (　　　)
(3) 소낙비 (　　　)

보기
㉠ 갑자기 세차게 쏟아지다가 곧 그치는 비.
㉡ 굵은 물줄기나 빗물 등이 빠르게 자꾸 흐르거나 내리는 소리.
㉢ 액체 따위가 둥글게 맺히거나 떨어지는 모양.

다지기

아래 문장의 빈칸에 알맞은 낱말을 보기 에서 찾아 쓰세요.

보기
소낙비　　방울방울　　주룩주룩

(1) 늦잠에서 깨었을 때는 비가 □□□□ 내리고 있었다.

(2) 맑은 하늘에서 갑자기 □□□가 쏟아졌다.

(3) 풀잎에 이슬이 □□□□ 맺혔다.

밑줄 친 낱말을 맞춤법에 맞게 고쳐 보세요.

(1) 물에 꼰입이 떠내려 오네요.

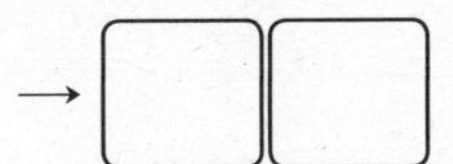

(2) 그릇을 씨서 선반 위에 엎어 놓다.

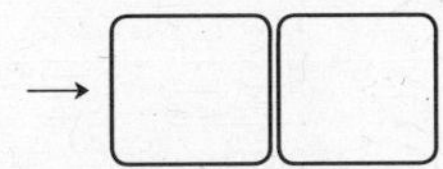

공부 날짜 　월 　일
푸는데 걸린 시간 　분

맞은 개수 써보기

독해	개/7개	어휘	개/8개

5주 25회 해설편 13쪽

어휘·어법 총정리

보기 의 낱말을 보고, 뜻과 어울리는 것을 골라 아래의 빈칸에 써보세요.

보기: 갓난아이　주룩주룩　저절로　빗대다　함부로　빙그레

1. 곧바로 말하지 않고 빙 둘러서 말하다. [ ]
2. 태어난 지 얼마 안 되는 아이. [ ]
3. 다른 힘을 빌리지 않고 제 스스로. [ ]
4. 조심하거나 깊이 생각하지 아니하고 마음 내키는 대로 마구. [ ]
5. 입을 약간 벌리고 소리 없이 부드럽게 웃는 모양. [ ]
6. 굵은 물줄기나 빗물 등이 빠르게 자꾸 흐르거나 내리는 소리. [ ]

어법 **다음 중 맞춤법에 맞는 것을 골라 동그라미 하세요.**

1. [여프로 / 옆으로] 누웠다.
2. [기피 / 깊이] 뿌리 내리다.
3. [까닭 / 까닥]을 모른다.
4. [꽃이 / 꼬치] 피었다.
5. [꼰입 / 꽃잎]이 날렸다.
6. 깨끗이 [씨서 / 씻어]라.

나의 점수 확인하기

어휘	개 / 6개	어법	개 / 6개

6주차

회차 / 영역	제목	계획 및 점검
26 인문|논설문	자기 자랑 • 나는 [ ]월 [ ]일 [ ]시에 공부할 것입니다.	• 독해력에서 나의 점수는 [ ]점입니다. • 어휘력에서 맞은 문제수는 [ ]개/8개 입니다. • 어려웠던 문제는 ______ 번입니다.
27 인문|설명문	일기 쓰기 • 나는 [ ]월 [ ]일 [ ]시에 공부할 것입니다.	• 독해력에서 나의 점수는 [ ]점입니다. • 어휘력에서 맞은 문제수는 [ ]개/8개 입니다. • 어려웠던 문제는 ______ 번입니다.
28 과학|설명문	이가 아파서 치과에 가요. • 나는 [ ]월 [ ]일 [ ]시에 공부할 것입니다.	• 독해력에서 나의 점수는 [ ]점입니다. • 어휘력에서 맞은 문제수는 [ ]개/8개 입니다. • 어려웠던 문제는 ______ 번입니다.
29 산문문학|이야기	무지개 물고기 • 나는 [ ]월 [ ]일 [ ]시에 공부할 것입니다.	• 독해력에서 나의 점수는 [ ]점입니다. • 어휘력에서 맞은 문제수는 [ ]개/8개 입니다. • 어려웠던 문제는 ______ 번입니다.
30 운문문학|시	둘이서 둘이서 • 나는 [ ]월 [ ]일 [ ]시에 공부할 것입니다.	• 독해력에서 나의 점수는 [ ]점입니다. • 어휘력에서 맞은 문제수는 [ ]개/8개 입니다. • 어려웠던 문제는 ______ 번입니다.

• 이번 주 독해력 문제에서 나의 점수는 평균 [ ]점입니다.

• 이번 주 어휘력에서 맞은 문제수는 모두 [ ]개입니다.

26

서호가 자는 동안 몸의 각 부분들이 자기 자랑을 하네요. 그런데 그런 것 모두를 뇌가 돌보는 것을 알고 있을까요? 우리의 행동을 결정하고, 생각하고 느끼고 기억하는 등의 모든 일을 뇌가 하거든요.

점수 계산 1. 15점 2. 15점 3. 10점 4. 15점 5. 15점 6. 15점 7. 15점

어느 날 밤입니다.

서호가 자는 동안에 눈, 코와 입, 그리고 손, 발이 자기 자랑을 시작하였습니다.

내가 없으면 아무것도 볼 수 없어. 벽에 부딪히고 돌부리에 걸려 넘어질 거야. 그래서 너희는 온통 상처투성이가 될 거야. 내가 가장 훌륭한 일을 하고 있지. 그러니까 내가 최고야.

아니야, 네가 아무리 훌륭해도 우리가 없으면 소용이 없어. 우리가 없으면 숨을 쉴 수가 없잖아? 음식을 먹을 수도 없고 냄새를 맡을 수도 없지. 그러니까 우리가 최고야.

얘들아, 몸에서 나만큼 중요한 것이 또 있겠니? 내가 없으면 연필을 잡을 수 없고, 장난감을 가지고 놀 수도 없어. 예쁜 반지도 손가락에 끼우잖아? 그러니까 내가 최고야.

하하하, 몸 중에서 가장 높으신 내가 한 말씀을 하겠다. 너희는 내가 없으면 반듯하게 서 있을 수 없어. 사람들이 왜 양말과 신발을 신고 다니는지 아니? 다 내가 귀하기 때문이야. 그러니까 내가 최고야. 에헴!

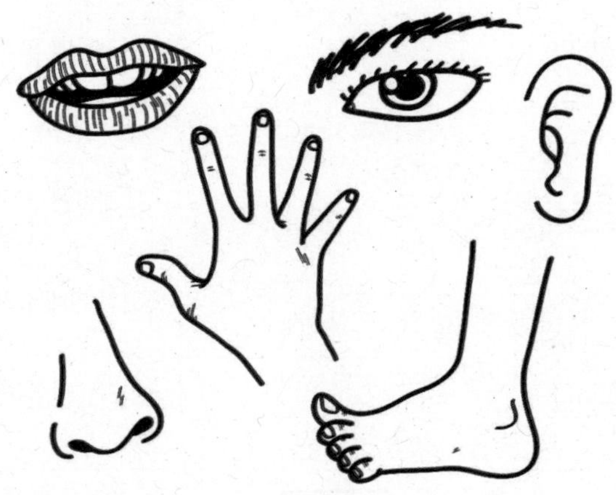

1
주제찾기

무엇을 하고 있는 내용입니까? ( )

① 소개
② 자랑
③ 인사
④ 설명
⑤ 연설

2
글감찾기

말하고 있는 것들을 전부 합쳐서 부르는 이름을 글에서 찾아 쓰세요.

3
사실이해

글에서 볼 수 있도록 해 준다고 말한 것은 무엇입니까? ( )

① 눈
② 코
③ 귀
④ 손
⑤ 발

4
미루어알기

입과 코가 함께 한 말은 어느 것입니까? ( )

① 내가 없으면 아무것도 볼 수 없어.
② 내가 가장 훌륭한 일을 하고 있지.
③ 내가 없으면 연필을 잡을 수 없지.
④ 너희는 내가 없으면 반듯하게 서 있을 수 없어.
⑤ 음식을 먹을 수도 없고 냄새를 맡을 수도 없지.

6주 26회

해설편 13쪽

5
세부내용

맞춤법에 맞게 쓴 것을 고르세요. ( )

① 신꼬
② 냄세
③ 노프신
④ 돌부리
⑤ 장난깜

6
적용하기

만약 '귀'가 자랑한다면 뭐라고 말할까요? ( )

① 내가 있어야 설 수 있어!
② 내가 있어야 맛볼 수 있어!
③ 내가 있어야 들을 수 있어!
④ 내가 있어야 만질 수 있어!
⑤ 내가 있어야 냄새 맡을 수 있어!

7
요약하기

자기 자랑을 한 순서를 아래와 같이 간추렸습니다. 빈칸에 알맞은 말을 쓰세요.

① [ ] → 코와 ② [ ] → ③ [ ] → ④ [ ]

어휘 넓히기

뜻 낱말의 뜻풀이로 알맞은 것을 보기 에서 골라 괄호 안에 기호를 쓰세요.

(1) 투성이 (　　)
(2) 훌륭하다 (　　)
(3) 돌부리 (　　)

보기
㉠ 땅 위로 내민 돌멩이의 뾰족한 부분.
㉡ 썩 좋아서 나무랄 곳이 없다.
㉢ '무엇이 너무 많은 상태'라는 뜻을 덧붙이는 말.

다지기 아래 문장의 빈칸에 알맞은 낱말을 보기 에서 찾아 쓰세요.

보기
돌부리　　투성이　　훌륭한

(1) 동생은 흙☐☐☐ 얼굴을 하고 집에 돌아왔다.
(2) 친구는 발 앞에 ☐☐☐를 툭툭 찼다.
(3) 내 짝의 ☐☐☐ 글솜씨가 부럽다.

넓히기 밑줄 친 낱말을 맞춤법에 맞게 고쳐 보세요.

(1) 친구의 애쁜 반지가 부러웠다.
→ ☐☐

(2) 옷을 반드타게 입어야 해.
→ ☐☐☐☐

시간 공부 날짜 ☐ 월 ☐ 일
푸는데 걸린 시간 ☐ 분

확인 맞은 개수 써보기

독해	개/7개	어휘	개/8개

6주 26회

해설편 13쪽

27

여러분은 일기를 쓰고 있나요? 일기를 쓰면 글쓰기 솜씨를 키울 수 있고, 매일 매일을 되돌아보면서 반성할 수 있어요. 다음 글을 읽고 나면 일기가 무엇이고 어떻게 써야 하는지 자세히 알게 될 거예요.

1. 15점 2. 15점 3. 10점 4. 15점 5. 15점 6. 15점 7. 15점

하루하루 보고 들은 일과 그 일에 대한 느낌과 생각을 적은 글이 일기예요. 일기는 스스로 겪은 일을 있었던 대로 적어 놓아 나중에 무슨 일이 있었던지 알게 해요. 게다가 생활을 반성하게 하여 더욱 훌륭한 사람으로 커갈 수 있도록 하는 글입니다.

일기를 쓸 때 어떤 것들을 지키면 될까요?

첫째, 하루를 돌아보았을 때 가장 먼저 생각나는 것이나 가장 중요했던 일을 글감으로 잡아서 써야 해요. 여러 가지 일이 생각난다고 해서 다 쓰는 것보다 한 가지 일을 중심으로 자세히 쓰는 것이 좋아요. 예를 들면, 가장 즐거웠거나 행복했던 일, 가장 슬펐던 일, 가장 신기했던 일, 가장 놀랐던 일, 가장 감동하였던 일 등 큰 인상을 주면서 일어난 일을 쓰는 게 좋아요. 매일 똑같이 반복되는 일을 쓴다면 매일매일 똑같은 내용의 일기가 될 테니까 그건 좋지 않아요.

둘째, 솔직하게 써야 좋아요. (　　㉠　　), 내가 꾸중 들은 일을 동생이 꾸중 들은 일처럼 꾸며서 쓰면 안 되겠지요. 그건 나의 일기가 아니니까요. 거짓을 참말처럼 꾸며 쓴 내용은 일기가 될 수 없어요.

셋째, 보고, 듣고, 한 일만 그대로 옮겨 쓰는 것보다 그것에 대한 생각과 느낌을 자세히 써야 해요. 일기는 단순히 사실만 쓰는 글이 아니므로 자기 생각이나 느낌을 쓰는 것이 중요해요.

1 주제찾기

무엇을 중심 내용으로 전하고 있는 글입니까? ( )

① 일기를 써야 할 때 ② 일기 쓰기에 좋은 글감
③ 일기 쓸 때 지키면 좋은 것 ④ 일기를 쓰면서 즐거워지는 때
⑤ 일기를 쓰면서 받게 되는 칭찬

2 글감찾기

글감으로 삼은 것을 글에서 찾아 한 낱말로 쓰세요.

3 사실이해

글의 처음 내용은 어떤 물음에 답하고 있습니까? ( )

① 일기란 무엇인가요? ② 일기는 언제 쓰나요?
③ 일기는 어디에서 쓰나요? ④ 일기는 항상 써야 하나요?
⑤ 일기를 쓰면 건강에 좋은가요?

4 미루어알기

바람직한 일기의 내용이라 할 수 있는 것은 어느 것인가요? ( )

① 잘 기억나지 않는 일
② 매일 똑같이 일어나는 일
③ 다른 사람에게 일어난 일
④ 자신의 솔직한 생각이나 느낌을 쓴 것
⑤ 누가 보아도 사실이라고 여길 수 있는 것

5 세부내용

㉠에 알맞은 말은 무엇인가요? ( )

① 하지만 ② 그러나
③ 다른 한편 ④ 예를 들어
⑤ 이와 달리

6
적용하기

아래 일기를 보고 틀리게 말한 친구를 고르세요. ( )

날짜: 20○○년 ○월 ○일 날씨: 맑음

제목: 이 빠진 날

어제부터 앞니가 흔들거렸다. 오늘 깍두기를 먹고 나니 더 흔들렸다.

나는 "엄마, 나 이가 흔들려."라고 말했다. "엄마가 빼 줄게."라고 엄마가 말했다.

엄마가 실을 앞니에 걸어 잡아당겼다. 나는 아플까 봐 눈을 꼭 감았다. 그런데 엄마가 손을 펴라고 했다. 눈을 뜨니 내 손바닥 위에 이 하나가 있었다. 아주 시원한 기분이 들었다. 그런데 학교에서 친구들이 놀릴까 봐 걱정이 되기도 했다.

① 연주: 제목이 없어서 어떤 내용인지 짐작할 수 없어.
② 민희: 따옴표 안에 대화를 넣어 생생하게 썼어.
③ 남진: 가장 기억에 남는 일을 썼어.
④ 지섭: 생각이나 느낌을 자세하게 썼어.
⑤ 윤수: 자기 이야기를 솔직하게 썼어.

7
요약하기

일기를 쓸 때 지켜야 할 것을 간추렸습니다. 빈칸을 채우세요.

첫째, 가장 먼저 생각나는 것이나 가장 ① □□했던 일을 글감으로 써야 한다.
둘째, 자기 이야기를 ② □□하게 써야 한다.
셋째, 일에 대한 ③ □□과 느낌을 자세하게 써야 한다.

어휘 넓히기

뜻

낱말의 뜻풀이로 알맞은 것을 보기에서 골라 괄호 안에 기호를 쓰세요.

(1) 반성 (　　　)

(2) 반복 (　　　)

(3) 꾸중 (　　　)

보기

㉠ 아랫사람의 잘못을 꾸짖는 말. 꾸지람.

㉡ 같은 일을 되풀이함.

㉢ 자기 말과 행동에 대해 잘못이나 부족함이 없는지 돌이켜봄.

다지기

아래 문장의 빈칸에 알맞은 낱말을 보기에서 찾아 쓰세요.

보기

반성　　꾸중　　반복

(1) 어려운 공부도 [　][　]하면 나중에는 쉬워진다.

(2) 동생과 싸운 일에 대해 [　][　]한다.

(3) 잘못도 없는데 [　][　]을 들으니 기분이 좋지 않다.

6주 27회

해설편 14쪽

넓히기

밑줄 친 낱말을 맞춤법에 맞게 고쳐 보세요.

(1) 아빠가 책상의 위치를 옮겨주었어요.

→ [　][　]

(2) 매일매일 똑가튼 반찬만 나오면 먹기 힘들어요.

→ [　][　][　]

시간 공부 날짜 [　]월 [　]일

푸는데 걸린 시간 [　]분

확인 맞은 개수 써보기

독해	[　]개/7개	어휘	[　]개/8개

28

여러분은 이가 아프면 어느 병원에 가나요? 치과에 가지요. 목이 아프거나 눈이 아프면요? 이비인후과나 안과에 가요. 우리가 아픈 곳에 따라 가야할 병원도 달라져요.

1. 15점 2. 15점 3. 10점 4. 15점 5. 15점 6. 15점 7. 15점

자라가 이가 아파서 치과에 가요.
느리게 기어가다가 토끼와 마주쳐요.
"자라야, 어디 가니?"
"이가 너무 아파서 치과에 가요."
"내가 치과에 데려다줄게."
토끼가 너무 서두르다가 다쳐요.
"아야, 아야, 다리가 너무 아파!"
그때 노루가 뛰어와서 도와줘요.
"토끼야, 왜 우니?"
"다리가 너무 아파요."
"다리가 아프다고?
내가 외과[1]에 데려다주마.
토끼야, 어서 타거라.
자라야, 너도 타려무나."
"고마워요, 노루 아저씨."

[1] 외과 몸 외부의 상처나 내장 기관의 질병을 수술이나 그와 비슷한 방법으로 치료하는 의학 분야.

1
주제찾기

어떤 모습을 보여 주는 장면입니까? ( )

① 도와주기
② 업어주기
③ 찾아가기
④ 올라가기
⑤ 내려가기

2
글감찾기

동물들이 가려는 치과와 외과를 함께 일컫는 말은 무엇입니까?

□□

3
사실이해

나오는 동물의 수는 몇입니까? ( )

① 2마리
② 3마리
③ 4마리
④ 5마리
⑤ 6마리

4
미루어알기

이가 아프면 어디로 가야 합니까? ( )

① 치과
② 안과
③ 외과
④ 내과
⑤ 이비인후과

6주 28회

해설편 14쪽

5 세부내용

인물이 소리 내어 한 말을 적을 때는 어떤 문장 부호를 씁니까? ( )

① 쉼표
② 마침표
③ 물음표
④ 느낌표
⑤ 큰따옴표

6 적용하기

다리가 부러진 곰을 만났다면 노루 아저씨가 할 말은 무엇입니까? 빈칸을 채우세요.

"곰아, 너도 내가 ☐☐에 데려다주마."

7 요약하기

동물들이 서로서로 도와준 모습을 간추렸습니다. 빈칸에 알맞은 말을 쓰세요.

① ☐☐가 이가 아픕니다.
② ☐☐가 자라를 도와주었습니다.
토끼가 서두르다 다쳤습니다.
③ ☐☐가 토끼와 자라를 도와주었습니다.

어휘 넓히기

뜻 낱말의 뜻풀이로 알맞은 것을 보기 에서 골라 괄호 안에 기호를 쓰세요.

(1) 마주치다 (　　)
(2) 서두르다 (　　)
(3) 데려다주다 (　　)

보기
㉠ 우연히 만나다.
㉡ 정해진 곳까지 함께 거느리고 가 주다.
㉢ 어떤 일을 급히 해내려고 바삐 움직이다.

다지기 아래 문장의 빈칸에 알맞은 낱말을 보기 에서 찾아 쓰세요.

보기
서둘렀다　　데려다줬다　　마주쳤다

(1) 나는 어제 길에서 친구와 □□□□.
(2) 우리 가족은 기차 시간에 늦을까 봐 □□□□.
(3) 할머니는 나를 학원까지 □□□□□.

6주 28회
해설편 14쪽

넓히기 밑줄 친 낱말을 맞춤법에 맞게 고쳐 보세요.

(1) 이가 너무 아파서 <u>칫과</u>에 가요.
→ □□

(2) 내가 집까지 <u>대려다주마</u>.
→ □□□□□

시간 공부 날짜 □ 월 □ 일
푸는데 걸린 시간 □ 분

확인 맞은 개수 써보기

독해	개/7개	어휘	개/8개

29

자기가 가진 것을 친구와 나누면 어떤 마음이 들까요? 아까울까요? 아니면 기쁠까요? 다음 이야기를 읽어 보면 알게 되어요.

1. 15점 2. 10점 3. 15점 4. 15점 5. 15점 6. 15점 7. 15점

[앞 이야기] 깊고 푸른 바닷속에 반짝반짝 빛나는 은빛 비늘이 박혀 있는 물고기가 있었습니다. 모두 그 아름다운 모습에 감탄하며, 그 물고기를 '무지개 물고기'라고 불렀습니다.

물고기들은 무지개 물고기에게 말을 붙였습니다.

"얘, 무지개 물고기야, 이리 와서 우리랑 같이 놀자!"

하지만, 무지개 물고기는 한마디 대꾸도 없이 잘난 체하면서 휙 지나가 버렸습니다. 예쁜 비늘을 반짝이면서 말이에요.

어느 날, 파란 꼬마 물고기가 무지개 물고기를 뒤따라왔습니다. 파란 꼬마 물고기는 무지개 물고기를 불러 세웠습니다.

"무지개 물고기야, 잠깐만 기다려 봐! 너는 반짝이 비늘이 참 많구나. 나한테 한 개만 줄래? 네 반짝이 비늘은 정말 멋있어." / 무지개 물고기가 버럭 소리를 질렀습니다.

"내가 가장 아끼는 건데, 달라고? 네가 뭔데 그래? 저리 비켜!"

파란 꼬마 물고기는 깜짝 놀라서 도망가 버렸습니다. 파란 꼬마 물고기는 어찌나 마음이 상했는지 친구들에게 그 일을 일러바쳤답니다. 그 뒤로는 아무도 무지개 물고기랑 놀려고 하지 않았습니다. 무지개 물고기가 다가오면 모두 자리를 피해 버렸습니다. 아무도 감탄해 주지 않는데, 눈부신 반짝이 비늘이 있어 봐야 무슨 소용이 있겠어요? 이제 무지개 물고기는 온 바다에서 가장 쓸쓸한 물고기가 되어 버렸습니다.

어느 날, 무지개 물고기는 불가사리 아저씨에게 고민을 털어놓았습니다.

"나는 정말 예쁘잖아요. 그런데 왜 아무도 나를 좋아하지 않는 걸까요?"

"그런 물음에는 대답해 줄 말이 없구나. 산호초 뒤에 있는 깊은 동굴에 가면 문어 할머니를 만날 수 있을 거야. 문어 할머니가 널 도와줄 수 있을 것 같구나."

무지개 물고기는 동굴을 찾아갔습니다. 동굴은 너무나 깜깜해서 아무것도 보이지 않았습니다. 그런데 갑자기 눈동자 두 개가 무지개 물고기 쪽을 향해 반짝 빛나더니 문어 할머니가 나타났습니다. 문어 할머니는 나직하면서 힘이 있는 목소리로 말했습니다.

"널 기다리고 있었단다. 파도가 벌써 네 이야기를 전해 주더구나. 내가 널 도와주마. 네 반짝이는 비늘을 다른 물고기들에게 한 개씩 나누어 주어라. 그럼 너는 더는 이 바다에서 가장 아름다운 물고기는 못 되겠지만, 지금보다 훨씬 행복해질 수 있을 거다."

"싫어" / 무지개 물고기가 막 말을 꺼내려는데, 문어 할머니는 이미 까만 먹물을 내뿜고는 사라져 버렸습니다.

'내 비늘을 나누어 주라고? 이렇게 예쁜 비늘을? 안 돼. 반짝이 비늘이 없으면 난 행복하게 살 수 없을 걸?'

순간 무지개 물고기는 꼬리지느러미 쪽에서 물결이 살랑이는 것을 느꼈습니다. 파란 꼬마 물고기가 무지개 물고기를 바라보며 말하였습니다.

"무지개 물고기야, 제발 화내지 마! 난 그냥 작은 비늘 한 개만 갖고 싶었을 뿐이야."

무지개 물고기는 마음이 흔들렸습니다.

'아주아주 조그만 반짝이는 비늘 딱 한 개뿐인데 뭘. 한 개쯤은 없어도 괜찮을 거야.'

무지개 물고기는 조심스럽게 가장 작은 은빛 비늘 한 개를 뽑아서 파란 꼬마 물고기에게 주었습니다. / "고마워! 정말 고마워!" / 파란 물고기는 좋아서 물거품을 보글보글 내뿜으며 반짝이 비늘을 파란비늘 사이에 끼웠습니다.

[뒷 이야기] 무지개 물고기는 파란 물고기가 좋아하는 모습을 보고 기분이 이상했습니다. 곧 다른 물고기들도 무지개 물고기 주변으로 몰려들었고, 무지개 물고기는 반짝이는 비늘을 하나씩 뽑아서 나누어 주었습니다. 나누어 주면 줄수록 기쁨은 더욱 커졌고, 무지개 물고기는 그제야 마음이 편안해지는 걸 느꼈습니다.

6주 29회

해설편 15쪽

1 주제찾기

이야기에서 얻을 수 있는 깨달음은 무엇입니까? ( )

① 남을 미워하지 말자. ② 욕심 부리지 말자.
③ 양보하고 나누자. ④ 친구를 도와주자.
⑤ 겸손하자.

2 제목찾기

빈칸을 채워 이야기의 제목을 붙이세요.

□□□ 물고기

3 사실이해

누가 무지개 물고기에게 도움말을 주었나요? ( )

① 불가사리 ② 파란 물고기 ③ 다른 물고기
④ 문어 할머니 ⑤ 숭어 할아버지

4
미루어알기

무지개 물고기가 다른 물고기를 어떻게 대하는지 알 수 있는 말은 어느 것인가요? ( )

① 대꾸도 없이 잘난 체하면서
② 아름다운 물고기였습니다
③ 바다에서 가장 쓸쓸한 물고기가
④ 고민을 털어놓았습니다
⑤ 동굴을 찾아갔습니다

5
세부내용

거품이 계속 작고 빠르게 일어나는 소리를 나타내는 낱말은 어느 것인가요? ( )

① 버럭 ② 깜짝 ③ 반짝 ④ 쉭쉭 ⑤ 보글보글

6
적용하기

무지개 물고기가 아래 아이에게 말하고 싶은 것을 고르세요. ( )

책을 너무 좋아하는 아이가 있었습니다. 그 아이는 매일 학교 도서관에 제일 먼저 가서 재미있는 책을 모두 골라 다른 친구들은 읽지 못하게 가지고 있었어요.

① 함께 읽으면 더 재미있어.
② 거짓말을 하면 안 돼.
③ 책을 너무 좋아하지 마.
④ 책을 너무 많이 읽지 마.
⑤ 적당히 운동도 해.

7
요약하기

이야기를 아래와 같이 간추렸습니다. 빈칸을 채우세요.

아름다운 비늘을 뽐내고 잘난 체하던 무지개 물고기는 비늘을 나누어달라는 친구에게 소리를 질러버려 ① ☐☐한 물고기가 되었습니다.

고민하던 무지개 물고기는 문어 할머니의 이야기를 듣고 다른 물고기들에게 ② ☐☐을 한 개씩 나누어주면서 행복해졌습니다.

어휘 넓히기

뜻 낱말의 뜻풀이로 알맞은 것을 보기 에서 골라 괄호 안에 기호를 쓰세요.

(1) 일러바치다 (　　)
(2) 감탄하다 (　　)
(3) 쓸쓸하다 (　　)

보기
㉠ 외롭고 허전하다.
㉡ 남의 잘못을 윗사람에게 알리다.
㉢ 마음속 깊이 느끼거나 놀라 칭찬하다.

다지기 아래 문장의 빈칸에 알맞은 낱말을 보기 에서 찾아 쓰세요.

보기
감탄했다　　일러바쳤다　　쓸쓸했다

(1) 그 외국인은 한복의 아름다움에 무척 □□□□.
(2) 누나가 어머니에게 내 거짓말을 □□□□□.
(3) 모두 집으로 가고 놀이터에 혼자 남으니 마음이 □□□□.

6주 29회

해설편 15쪽

넓히기 밑줄 친 낱말을 맞춤법에 맞게 고쳐 보세요.

(1) 영선이는 왜 나를 <u>조아하지</u> 않는 걸까요?
→ □□□□

(2) 한참 동안 <u>가만이</u> 지켜보았습니다.
→ □□□

시간 공부 날짜 [　] 월 [　] 일
푸는데 걸린 시간 [　] 분

확인 맞은 개수 써보기

독해	개/7개	어휘	개/8개

30

혼자 하면 어렵지만 둘이서 하면 쉬운 것들이 있어요. 어떤 것들이 있을지 생각해 보며 시를 읽어 볼까요?

1. 15점 2. 15점 3. 10점 4. 15점 5. 15점 6. 15점 7. 15점

기우뚱기우뚱 통나무
어떻게 옮기나?
둘이서 들면 되잖아.
영차, 영차.

휘청휘청 긴 바가지로
어떻게 물을 떠먹나?
서로 먹여 주면 되잖아.
꼴깍꼴깍.

달싹달싹 꼼짝 않는 시소
어떻게 타나?
둘이서 타면 되잖아.
오르락내리락.

달달달 추운 겨울
어떻게 지내나?
서로 안아 주면 되잖아.
새근새근 콜콜.

㉠정다운 겨울.

1
주제찾기

거듭거듭 드러낸 내용은 무엇입니까? ( )

① 물을 마셔요.
② 함께 하면 좋아요.
③ 놀이터에서 놀아요.
④ 안아 주면 따뜻해요.
⑤ 정다운 겨울을 만들어요.

2
제목찾기

시에 나온 같은 말을 두 번 사용하여 제목을 붙이세요.

□□□ □□□

3
사실이해

어떤 내용으로 시작하고 있습니까? ( )

① 물 떠먹기
② 시소 타기
③ 겨울 나기
④ 통나무 옮기기
⑤ 서로 안아 주기

4
미루어알기

'㉠정다운 겨울'에서 느껴지는 분위기는 어떠한가요? ( )

① 따뜻하다
② 시원하다
③ 춥다
④ 반갑다
⑤ 차갑다

6주 30회

해설편 15쪽

5
세부내용

잠을 잘 때 내는 소리를 흉내 낸 말은 어느 것인가요? ( )

① 달달달
② 휘청휘청
③ 달싹달싹
④ 새근새근
⑤ 오르락내리락

6
적용하기

시를 읽고 바르게 생각을 고쳐먹은 학생은 누구일까요? ( )

① 명수 : 오늘 할 일을 내일로 미루지 않겠다.
② 민희 : 동생의 숙제를 대신해 주어야겠다.
③ 찬호 : 이번 달리기 경주에서 내가 꼭 1등을 해야겠다.
④ 주희 : 겨울을 따뜻하게 보낼 수 있도록 새옷을 사야겠다.
⑤ 민수 : 어려운 일을 혼자하고 있는 친구를 도와줘야겠다.

7
요약하기

시를 아래와 같이 간추렸습니다. 빈칸을 채우세요.

둘이서 둘이서 ① □□□를 들어요.
둘이서 둘이서 ② □을 먹여 줘요.
둘이서 둘이서 ③ □□를 타요.
둘이서 둘이서 안아 줘요.
정다운 ④ □□

어휘 넓히기

뜻 낱말의 뜻풀이로 알맞은 것을 보기 에서 골라 괄호 안에 기호를 쓰세요.

(1) 기우뚱기우뚱 (　　)
(2) 휘청휘청 (　　)
(3) 새근새근 (　　)

보기
㉠ 가늘고 긴 것이 탄력 있게 휘어지며 자꾸 느리게 흔들리는 모양.
㉡ 물체가 이쪽저쪽으로 자꾸 기울어지며 흔들리는 모양.
㉢ 어린아이가 곤히 잠들어 조용하게 자꾸 숨 쉬는 소리.

다지기 아래 문장의 빈칸에 알맞은 낱말을 보기 에서 찾아 쓰세요.

보기
휘청휘청　　기우뚱기우뚱　　새근새근

(1) 그 조그만 배는 파도가 칠 때마다 □□□□□□ 흔들렸다.
(2) 아기가 아빠의 품에 안겨 □□□□ 잠이 들었다.
(3) 아빠가 피곤한지 □□□□ 걸었다.

넓히기 밑줄 친 낱말을 맞춤법에 맞게 고쳐 보세요.

(1) 어떠케 가야 하나?
→ □□□

(2) 서로 먹여 주면 되자나.
→ □□□

시간 공부 날짜 [　] 월 [　] 일
푸는데 걸린 시간 [　] 분

확인 맞은 개수 써보기

독해	개/7개	어휘	개/8개

6주 30회

해설편 15쪽

어휘·어법 총정리 6주차

어휘 **보기 의 낱말을 보고, 뜻과 어울리는 것을 골라 아래의 빈칸에 써보세요.**

보기	꾸중	돌부리	일러바치다	쓸쓸하다	서두르다	새근새근

1. 땅 위로 내민 돌멩이의 뾰족한 부분. [ ]
2. 아랫사람의 잘못을 꾸짖는 말. [ ]
3. 어떤 일을 급히 해내려고 바삐 움직이다. [ ]
4. 남의 잘못을 윗사람에게 알리다. [ ]
5. 외롭고 허전하다. [ ]
6. 어린아이가 곤히 잠들어 조용하게 자꾸 숨 쉬는 소리. [ ]

어법 **다음 중 맞춤법에 맞는 것을 골라 동그라미 하세요.**

1. [얘쁜 / 예쁜] 강아지!
2. [똑같은 / 똑가튼] 모양이다.
3. [치가 / 치과]에 가요.
4. [조아하지 / 좋아하지] 않아요.
5. 어떻게 [옴기나 / 옮기나]?
6. 함께 들면 [되잖아 / 되자나].

확인 **나의 점수 확인하기**

어휘	개 / 6개	어법	개 / 6개

7주차

회차 / 영역	제목	계획 및 점검
31 인문|논설문	세상에서 가장 힘이 센 말 • 나는 [ ]월 [ ]일 [ ]시에 공부할 것입니다.	• 독해력에서 나의 점수는 [ ]점입니다. • 어휘력에서 맞은 문제수는 [ ]개/8개 입니다. • 어려웠던 문제는 ______ 번입니다.
32 인문|설명문	생각 나타내기 • 나는 [ ]월 [ ]일 [ ]시에 공부할 것입니다.	• 독해력에서 나의 점수는 [ ]점입니다. • 어휘력에서 맞은 문제수는 [ ]개/8개 입니다. • 어려웠던 문제는 ______ 번입니다.
33 과학|설명문	운동과 건강 • 나는 [ ]월 [ ]일 [ ]시에 공부할 것입니다.	• 독해력에서 나의 점수는 [ ]점입니다. • 어휘력에서 맞은 문제수는 [ ]개/8개 입니다. • 어려웠던 문제는 ______ 번입니다.
34 산문문학|전기	유관순 • 나는 [ ]월 [ ]일 [ ]시에 공부할 것입니다.	• 독해력에서 나의 점수는 [ ]점입니다. • 어휘력에서 맞은 문제수는 [ ]개/8개 입니다. • 어려웠던 문제는 ______ 번입니다.
35 운문문학|시	두껍아 두껍아 • 나는 [ ]월 [ ]일 [ ]시에 공부할 것입니다.	• 독해력에서 나의 점수는 [ ]점입니다. • 어휘력에서 맞은 문제수는 [ ]개/8개 입니다. • 어려웠던 문제는 ______ 번입니다.

• 이번 주 독해력 문제에서 나의 점수는 평균 [ ]점입니다.

• 이번 주 어휘력에서 맞은 문제수는 모두 [ ]개입니다.

31

생각 열기

어떤 말은 듣는 사람을 힘 나게 하고 기운 솟게 해요. 어쩌면 세상에서 가장 힘이 센 건 그런 말인지도 몰라요.

점수 계산 1. 15점 2. 15점 3. 10점 4. 15점 5. 15점 6. 15점 7. 15점

"고마워!"라고 말하면 / 아깝지 않아요.
귀찮다는 생각이 싹 달아나요.
언제 내가 힘들었나요?
(㉠)

"미안해."라고 말하면 / 숨고 싶은 마음,
입을 꾹 다물게 하는 마음이
조금 가벼워져요.

"괜찮아."라고 말하면
실수해도 괜찮아. / 틀려도 괜찮아.
못해도 괜찮아. / 괜히 힘이 나요.
다음에는 잘할 수 있을 것 같지요.

"힘내."라고 말하면
작은 씨앗이 커다란 돌멩이를 밀쳐내고,
친구가 무거운 역기를 번쩍 들고,
숨이 차도 끝까지 달리지요.

1
주제찾기

어떤 말을 하자는 내용입니까? ( )

① 거짓이 아닌 말
② 내 마음에 드는 말
③ 친구를 위로하는 말
④ 분위기에 어울리는 말
⑤ 남의 기분을 좋게 하는 말

2
제목찾기

빈칸에 알맞은 낱말을 넣어 제목을 붙이세요.

세상에서 가장 힘이 센 ☐

3
사실이해

글에서 다루지 <u>않은</u> 말은 어느 것입니까? ( )

① 힘내
② 고마워
③ 미안해
④ 괜찮아
⑤ 서둘러

7주 31회

해설편 16쪽

4
미루어알기

㉠에 들어갈 알맞은 말은 무엇입니까? ( )

① '아이 슬퍼.'
② '정말 힘들어.'
③ '이젠 안심이 되네.'
④ '더 도와줄 일은 없을까?'
⑤ '언젠가 은혜를 갚을 수 있을 거야.'

5
세부내용

'위아래 입술을 마주 붙여서 닫다'라는 뜻을 지닌 낱말은 무엇입니까? ( )

① 아깝다
② 가볍다
③ 다물다
④ 틀리다
⑤ 밀치다

6
적용하기

다음과 같은 경우에 할 말은 무엇인가요? ( )

친구에게 실수로 물감을 묻혔을 때

① "힘내."
② "미안해."
③ "고마워!"
④ "괜찮아."
⑤ "조심해."

7
요약하기

문단의 주요 내용을 간추렸습니다. 빈칸을 채우세요.

1문단	'고마워'라는 말의 ① □
2문단	'② □□□'라는 말의 힘
3문단	'③ □□□'라는 말의 힘
4문단	'④ □□'라는 말의 힘

어휘 넓히기

뜻 낱말의 뜻풀이로 알맞은 것을 보기 에서 골라 괄호 안에 기호를 쓰세요.

(1) 달아나다 (　　　)
(2) 다물다 (　　　)
(3) 괜찮다 (　　　)

보기
㉠ 위아래 입술을 마주 붙여서 닫다.
㉡ 없어지게 되다. 도망가다. 떨어져 나가다.
㉢ 꺼려지거나 문제될 것이 없다.

다지기 아래 문장의 빈칸에 알맞은 낱말을 보기 에서 찾아 쓰세요.

보기
다물었다　　괜찮다　　달아났다

(1) 동생은 삐쳤는지 입을 꼭 □□□□.
(2) 전화가 오는 소리에 잠이 확 □□□□.
(3) 이 버섯은 먹어도 □□□.

넓히기 밑줄 친 낱말을 맞춤법에 맞게 고쳐 보세요.

(1) 틀려도 <u>괜차나</u>.
→ □□□

(2) 숨이 차도 <u>끝</u>까지 달리지요.
→ □

7주 31회

해설편 16쪽

시간 공부 날짜 □월 □일
푸는데 걸린 시간 □분

확인 맞은 개수 써보기

독해	개/7개	어휘	개/8개

32

'친구, 학교, 가다' 등의 낱말은 모두 어떤 뜻을 담고 있어요. 이런 낱말들이 모인 문장도 마찬가지랍니다. '친구야 학교에 가니?'는 어떤 생각이나 느낌을 드러내었을까요?

1. 15점 2. 15점 3. 10점 4. 15점 5. 15점 6. 15점 7. 15점

낱말은 뜻을 가지고 홀로 쓰일 수 있는 가장 작은 말의 덩어리를 일컬어요. 그러니까 '아침', '하늘', '노래' 등은 모두 낱말이지요. 낱말은 혼자 있지 않고 앞이나 뒤에 나오는 다른 낱말과 함께 문장 속에서 쓰일 때 그 뜻을 잘 드러낼 수 있어요.

문장이란 말하고 싶은 하나의 생각이나 느낌을 담은 말의 묶음이에요. 문장을 통해서 비로소 온전하게 생각이나 느낌을 드러낼 수 있어요.

문장은 말하는 뜻이 무엇인지에 따라 ① 풀이하는 문장, ② 묻는 문장, ③ 느낌을 나타내는 문장, ④ 시키는 문장, ⑤ 함께 하자는 문장으로 나눌 수 있어요.

① 풀이하는 문장: 비가 온다. 학교에 간다.

② 묻는 문장: 잘 있었니? 숙제 다 했어?

③ 느낌을 나타내는 문장: 이 문제 정말 어렵구나! 얼마나 좋을까!

④ 시키는 문장: 빨리 청소해라. 4시까지 와.

⑤ 함께 하자는 문장: 집에 같이 가자. 축구시합을 하러 가자.

1
주제찾기

글 전체 내용은 무엇입니까? ( )

① 문장의 뜻
② 문장의 종류
③ 풀이하는 문장
④ 함께 하자는 문장
⑤ 문장의 뜻과 종류

2
제목찾기

이 글에서 중요하게 나오는 글감을 쓰세요.

□□

3
사실이해

'눈이 온다.'는 어떤 문장인가요? ( )

① 풀이하는 문장
② 묻는 문장
③ 느낌을 나타내는 문장
④ 시키는 문장
⑤ 함께 하자는 문장

4
미루어알기

다음 낱말 세 개로 문장을 만들어 ㉠을 채우세요.

- 낱말: 꼬리를/흔듭니다/강아지가
- 문장: (㉠).

해설편 16쪽

5 세부내용

문장을 끝내는 부호를 무엇이라고 합니까? ( )

① 흉내 내는 말
② 문장 부호
③ 띄어쓰기
④ 맞춤법
⑤ 쉼표

6 적용하기

'집 앞 공원에서 산책하자.'는 무슨 문장인가요? ( )

① 풀이하는 문장
② 묻는 문장
③ 느낌을 나타내는 문장
④ 시키는 문장
⑤ 함께 하자는 문장

7 요약하기

문장의 뜻과 종류를 아래와 같이 간추렸습니다. 빈칸을 채우세요.

문장의 뜻	말하고 싶은 하나의 생각이나 느낌을 담은 말의 ① ☐☐
문장의 종류	풀이하는 문장 ② ☐☐ 문장 느낌을 나타내는 문장 시키는 문장 ③ ☐☐ 하자는 문장

어휘 넓히기

뜻

낱말의 뜻풀이로 알맞은 것을 보기 에서 골라 괄호 안에 기호를 쓰세요.

(1) 묶음 (　　)
(2) 드러내다 (　　)
(3) 시키다 (　　)

보기
㉠ 어떤 일이나 행동을 하게 하다.
㉡ 숨겨지거나 알려져 있지 않던 것을 나타내어 알게 하다.
㉢ 한데 모아서 묶어 놓은 덩이.

다지기

아래 문장의 빈칸에 알맞은 낱말을 보기 에서 찾아 쓰세요.

보기
묶음　　시켰다　　드러내는

(1) 저 사람은 결코 자기 속마음을 □□□□ 법이 없다.
(2) 엄마가 동생에게 심부름을 □□□.
(3) 선생님은 시험지로 보이는 종이 □□을 가져오셨다.

넓히기

밑줄 친 낱말을 맞춤법에 맞게 고쳐 보세요.

(1) 문장이란 말하고 싶은 하나의 생각이나 느낌을 담은 말의 무끔이에요.
→ □□

(2) 생각을 잘 들어낼 알맞은 낱말을 골라라.
→ □□□

7주 32회

해설편 16쪽

시간 공부 날짜 □ 월 □ 일
푸는데 걸린 시간 □ 분

확인 맞은 개수 써보기

독해	개/7개	어휘	개/8개

33

이 글은 운동을 하면 좋은 점이 무엇인지를 들어서 운동을 하라고 주장하는 글이에요. 여러분은 어떤 운동을 좋아하나요? 줄넘기, 달리기, 축구, 수영 등등 다양한 운동을 하며 몸도 마음도 튼튼하게 만들어 보아요.

점수 계산 1. 15점 2. 15점 3. 10점 4. 15점 5. 15점 6. 15점 7. 15점

운동은 허파를 강하게 해 줍니다. 한 번에 들이쉬고 내쉬는 공기의 양인 '폐활량'을 늘어나게 하고, 들이마신 공기가 온몸으로 잘 퍼지도록 도와주지요. 허파가 건강하지 못하면 폐활량[1]이 줄어든답니다.

운동은 심장을 세게 뛰도록 해 줍니다. ㉠운동을 많이 하는 사람의 심장이 뛰는 수는 보통 사람보다 훨씬 적어요. 심장이 한 번 뛸 때 충분히 많은 혈액을 온몸으로 보낼 수 있다는 뜻이지요.

줄넘기나 달리기, 수영, 축구 같은 운동은 우리 몸에 많은 산소를 날라 줍니다. 이런 운동을 '유산소 운동'이라고 하지요. 유산소 운동은 몸의 지방을 태워 버리고 근육을 늘려 줘요. 운동은 이렇게 우리 몸의 여러 기관을 튼튼하게 해 줍니다. 몸이 튼튼해진다는 것은, 우리가 외부의 나쁜 세균과 바이러스[2]도 쉽게 이겨낼 수 있게 되는 것을 뜻하지요. 그래서 병에 맞서서 이겨내는 힘도 키울 수 있답니다.

그뿐만이 아니에요. 운동을 하면 즐거워진답니다. 뇌에서 아픔을 약하게 해 주는 엔도르핀[3]이라는 물질이 많이 나오거든요. '건강한 몸에 건강한 정신이 깃든다.'라는 유명한 문구도 있답니다. 몸이 건강하면 항상 즐겁고, 모든 일이 잘될 거라는 생각을 하게 된다는 거겠죠?

❶ 폐활량 사람이 한 번 공기를 최대한으로 들이마셨다가 내뿜을 수 있는 가스의 최대량. ❷ 바이러스 동물, 식물, 세균 따위의 살아 있는 세포에 붙어서 살고, 세포 안에서만 나서 자랄 수 있는 생물. ❸ 엔도르핀 젖먹이동물의 뇌의 어떤 부분에서 나오는 물질을 통틀어 이르는 말. 모르핀과 같은 진통 효과가 있다.

1
주제찾기

글의 중심 생각을 가장 잘 드러낸 것은 어느 것입니까? ( )

① 운동하면 폐활량이 늘어난다.
② 운동은 심장을 세게 뛰게 한다.
③ 운동을 하면 모든 일이 잘된다.
④ 운동은 우리 몸에 산소를 날라 준다.
⑤ 운동은 우리의 몸과 마음을 건강하게 한다.

2
제목찾기

빈칸에 글에 나온 낱말을 넣어 제목을 붙이세요.

□□과 건강

3
사실이해

유산소 운동이 아닌 것은 무엇입니까? ( )

① 축구
② 공부
③ 수영
④ 달리기
⑤ 줄넘기

7주 33회

해설편 17쪽

4
미루어알기

㉠의 까닭은 무엇입니까? ( )

① 운동을 하면 심장이 커지기 때문에
② 운동을 하면 피가 천천히 돌기 때문에
③ 심장이 빨리 뛰면 피가 머리로 가기 때문에
④ 심장이 뛸 때마다 많은 피를 온몸으로 보낼 수 있어서
⑤ 심장은 운동할 때마다 온몸으로부터 피를 다시 받을 수 있어서

5

세부내용

뜻이 서로 반대되는 말의 짝은 어느 것입니까? ( )

① 많다 - 적다

② 온몸 - 허파

③ 수영 - 축구

④ 나르다 - 옮기다

⑤ 줄이다 - 태우다

6

적용하기

건강하게 지내도록 친구에게 할 말로 알맞은 것을 고르세요. ( )

① 친구야 안녕!

② 친구야 잘 지내?

③ 운동만 열심히 해!

④ 책을 읽으면 마음이 튼튼해진대!

⑤ 운동으로 몸도 마음도 튼튼히 해!

7

요약하기

각 문단의 주요 내용을 간추렸습니다. 빈칸을 채우세요.

1문단	① ☐☐를 강하게 해 주는 운동
2문단	② ☐☐을 세게 뛰도록 하는 운동
3문단	몸을 ③ ☐☐하게 해 주는 운동
4문단	우리를 즐겁게 해 주는 운동

어휘 넓히기

뜻 낱말의 뜻풀이로 알맞은 것을 보기 에서 골라 괄호 안에 기호를 쓰세요.

(1) 충분히 (　　)
(2) 훨씬 (　　)
(3) 건강하다 (　　)

보기
㉠ 모자람이 없이 넉넉하게.
㉡ 몸이나 마음에 아무 탈이 없이 튼튼하다.
㉢ 어떤 것에 비하여 그 정도가 심하거나 더하게.

다지기 아래 문장의 빈칸에 알맞은 낱말을 보기 에서 찾아 쓰세요.

보기
훨씬　　충분히　　건강

(1) 아플 때는 □□□ 쉬어야 한다.

(2) 엄마는 나에게 □□하게만 자라 달라고 말한다.

(3) 운동장을 걷는 것보다 산길을 올라가는 것이 □□ 힘들다.

넓히기 밑줄 친 낱말을 맞춤법에 맞게 고쳐 보세요.

(1) 운동은 <u>패할량</u>을 늘여줍니다.

→ □□□

(2) 운동은 심장을 <u>새게</u> 뛰도록 해 줍니다.

→ □□

시간 공부 날짜 □ 월 □ 일
푸는데 걸린 시간 □ 분

확인 맞은 개수 써보기

독해	개/7개	어휘	개/8개

7주 33회

해설편 17쪽

34

생각 열기 삼일절을 알고 있나요? 일본이 우리나라의 국권을 강제로 빼앗아서 우리 조상들이 일본에 맞서 독립을 선언하고 만세운동을 펼친 것을 기념하는 날이에요. 독립운동 중에 많은 사람들이 죽었답니다. 그래서 삼일절이 되면 나라를 위해 돌아가신 분들을 기리는 묵념을 하고, 태극기를 내걸고 나라를 사랑하는 마음을 되새기고 있지요.

점수 계산 1. 15점 2. 10점 3. 15점 4. 15점 5. 15점 6. 15점 7. 15점

유관순은 충청남도의 한 기독교 집안에서 태어나 선교사[1]의 소개로 이화 학당에 입학했어요. 그런데 유관순이 학교에 입학한 다음 해에 그때의 임금 고종이 세상을 뜨고 말았어요. 일본 사람들이 고종에게 몹쓸 짓을 하여 돌아가시게 했다는 소문이 돌자 백성들은 성이 나서 어쩔 줄 몰라 했어요. 참다못한 조선의 유학생들이 1919년 2월 8일에 일본의 수도 도쿄에서 독립 선언을 했고, 3월 1일에는 서울에서 만세 운동이 일어났어요.

만세 운동이 가라앉을 기미가 보이지 않자 조선총독부[2]는 모든 학교에 강제로 문을 닫으라는 명령을 내렸어요. 유관순은 고향으로 내려와 서울에서 있었던 만세 운동을 전했어요.

"나라님이 왜놈들 손에 죽었는데 어떻게 가만히 있어요. 우리도 뭔가를 보여 줘야 한다고요. 우리나라를 되찾아야 해요!"

유관순은 음력 3월 1일, 충청남도 천안의 아우내 장터에서 태극기를 흔들며 만세 운동을 벌이기로 했어요. 밤새 태극기를 만들고 빈틈없이 준비한 뒤, 날이 밝자 뜻이 같은 사람들과 함께 장터에 모인 사람들에게 태극기를 나누어 주었어요.

"여러분! 반만년 역사를 자랑하는 우리나라를 저 잔인한 일본이 강제로 빼앗았습니다. 그동안 우리 민족은 나라 없는 서러움과 일본의 모진 짓에 시달려 왔습니다. 이제는 우리 모두 일어날 때입니다. 나라를 되찾읍시다. 대한 독립 만세!"

아우내 장터에 모인 3,000여 명의 사람들이 유관순을 따라 다 같이 만세를 불렀어요.

"대한 독립 만세, 만세!"

그러자 일본 헌병들이 우리나라 사람들을 향해 마구 총을 쏘았어요. 유관순의 부모를 비롯해 많은 사람이 목숨을 잃었고, 유관순은 앞장선 죄로 몰려 체포된 뒤 고문을 당했어요.

"내 나라에 쳐들어온 너희에게 나는 재판을 받을 수가 없다. 나는 내 나라를 위해 내

나라에서 당당한 일을 했을 뿐이다!"

유관순은 모진 고문을 받으면서도 끝까지 일본 경찰에 굽히지 않았어요. 유관순은 3년을 감옥에서 살아야 한다는 벌을 받고 서울 서대문 형무소로 옮겨졌어요. 유관순은 그 어떤 고문도 꿋꿋이 참아 냈지만, 형벌을 견디지 못하고 결국 19세라는 꽃다운 나이에 차디찬 감옥에서 죽음을 맞이했어요. 어린 나이에 나라를 독립시키려고 목숨을 바친, 유관순의 나라를 사랑하는 마음은 지금도 많은 사람의 기억 속에 남아 있어요.

❶ 선교사 외국에 보내어 기독교를 믿도록 하는 일에 힘쓰는 사람.

❷ 조선총독부 일본이 1910년부터 1945년까지 우리나라를 지배하기 위하여 설치하였던 최고 관청. 식민지 통치의 중심이 된 기관으로 입법, 사법, 행정 및 군대 통수권을 집행할 수 있는 막강한 권한을 행사하였다.

1 주제찾기

글의 중심 내용을 간추린 말은 무엇입니까? ( )

① 이화 학당에 입학

② 나라를 사랑하는 마음

③ 참다못한 조선의 유학생들

④ 만세 운동이 가라앉을 기미

⑤ 태극기로 만세 운동을 벌이기

2 글감찾기

글에서 중심인물을 찾아 이름을 쓰세요.

3 사실이해

서울에서 만세 운동이 일어난 날은 언제입니까? ( )

① 2월 8일 ② 3월 1일

③ 5월 5일 ④ 8월 15일

⑤ 10월 3일

7주 34회

해설편 17쪽

4
미루어알기

글을 읽고 알 수 있는 일은 무엇입니까? ( )

① 일본에서 만세 운동을 했다.
② 유관순은 서울에서 태어났다.
③ 만세 운동으로 나라를 되찾았다.
④ 유관순이 앞장서 만세 운동을 했다.
⑤ 만세 운동 때 목숨을 잃은 사람들은 거의 없다.

5
세부내용

다음이 설명한 낱말을 본문에서 찾아보세요. ( )

주로 시골에서 사람들이 물건을 사고파는 곳

① 집안
② 세상
③ 장터
④ 학교
⑤ 서울

6
적용하기

유관순의 삶에서 사람들에게 가장 본보기가 되는 점은 무엇입니까? ( )

① 이화 학당에 입학함
② 독립 만세 운동을 준비함
③ 다른 사람들 앞에서 만세를 부름
④ 서울에서 있었던 만세 운동을 전함
⑤ 우리나라의 독립을 위해 목숨을 바침

7
요약하기

이야기를 다음과 같이 간추렸습니다. 빈칸을 채우세요.

서울에서 일어난 ① [ ][ ] 운동 → 고향에서 만세 운동을 이끈 ② [ ][ ][ ] → 유관순의 체포와 ③ [ ][ ]

어휘 넓히기

뜻 낱말의 뜻풀이로 알맞은 것을 보기에서 골라 괄호 안에 기호를 쓰세요.

(1) 빈틈없이 (　　　)
(2) 되찾다 (　　　)
(3) 꿋꿋이 (　　　)

보기
㉠ 의지나 태도가 무르지 않고 굳세게.
㉡ 다시 가지거나 얻게 되다.
㉢ 허술하거나 부족한 점이 없이.

다지기 아래 문장의 빈칸에 알맞은 낱말을 보기에서 찾아 쓰세요.

보기
꿋꿋이　　빈틈없이　　되찾았다

(1) 학교에서 잃어버렸던 연필을 □□□□.
(2) 계획을 □□□□ 세우다.
(3) 그 사람은 어려움 속에서도 희망을 잃지 않고 □□□ 살아간다.

넓히기 밑줄 친 낱말을 맞춤법에 맞게 고쳐 보세요.

(1) 시험 준비를 빈틈업시 했다.
→ □□□□

(2) 힘들고 어려운 일을 꿋꾸시 잘 해냈다.
→ □□□

7주 34회

해설편 17쪽

시간 공부 날짜 □ 월 □ 일
푸는데 걸린 시간 □ 분

확인 맞은 개수 써보기

독해	□ 개/7개	어휘	□ 개/8개

35

흙이나 모래를 가지고 집을 지어본 적 있나요? 한 손 위에 흙을 덮고 다져 자그마하게 굴을 만들면 두꺼비집이 돼요. 이 굴이 두꺼비가 사는 집과 비슷하다고 해서 두꺼비집이라고 부른답니다.

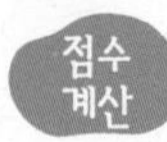

1. 15점 2. 15점 3. 10점 4. 15점 5. 15점 6. 15점 7. 15점

두껍아 두껍아
흙집 지어라
두껍아 두껍아
흙집 지어라

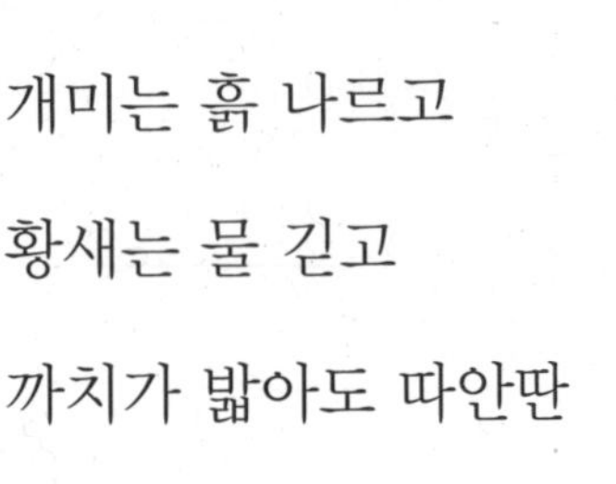

개미는 흙 나르고
황새는 물 긷고
까치가 밟아도 따안딴
㉠황소가 밟아도 따안딴

두껍아 두껍아
흙집 지어라
두껍아 두껍아
흙집 지어라

헌 집은 무너지고
새집은 튼튼하고
굼벵이가 살아도 따안딴
토끼가 살아도 따안딴

1 주제찾기

어떤 모습을 떠올릴 수 있는 시입니까? ( )

① 두꺼비의 집이 무너지는 모습
② 두꺼비의 집에 동물들이 모이는 모습
③ 두꺼비가 다른 동물들과 다투는 모습
④ 두꺼비가 다른 동물들과 숨바꼭질하는 모습
⑤ 두꺼비가 다른 동물들과 함께 흙집을 짓고 있는 모습

2 글감 찾기

빈칸을 채워 글감이 된 놀이의 이름을 쓰세요.

□□□□ 짓기 놀이

3 사실이해

두꺼비가 집을 지을 때 흙을 나르고 물을 길어준 동물은 누구입니까? ( )

① 개미, 황새
② 까치, 황소
③ 황새, 황소
④ 굼벵이, 토끼
⑤ 개미, 굼벵이

7주 35회

해설편 18쪽

4 미루어알기

㉠에서 떠올릴 수 있는 느낌은 어떠합니까? ( )

① 시원하다
② 따뜻하다
③ 부드럽다
④ 튼튼하다
⑤ 물렁하다

5
세부내용

겹받침을 가진 것을 고르세요. ( )

① 껍
② 흙
③ 황
④ 집
⑤ 딴

6
적용하기

두꺼비집 짓기를 할 때 도와줄 수 있는 방법은 어떤 것일까요? ( )

① 새근새근 잠자기
② 폴짝폴짝 뛰기
③ 꼭꼭 다지기
④ 정답게 안아 주기
⑤ 또박또박 글씨 쓰기

7
요약하기

시를 다음과 같이 간추렸습니다. 빈칸을 채우세요.

> 두꺼비가 ① ☐☐을 짓는다.
> ② ☐☐는 흙을 나르고 황새는 물을 긷는다.
> 흙집은 까치와 ③ ☐☐가 밟아도 딴딴하다.
> 두꺼비가 지은 집은 튼튼하다. 흙집은 굼벵이와 ④ ☐☐가 살아도 딴딴하다.

어휘 넓히기

뜻

낱말의 뜻풀이로 알맞은 것을 보기 에서 골라 괄호 안에 기호를 쓰세요.

(1) 나르다 (　　)
(2) 긷다 (　　)
(3) 무너지다 (　　)

보기
㉠ 물건을 한 곳에서 다른 곳으로 옮기다.
㉡ 쌓여 있거나 서 있는 것이 허물어져 내려앉다.
㉢ 우물이나 샘에서 두레박이나 바가지로 물을 떠 내다.

다지기

아래 문장의 빈칸에 알맞은 낱말을 보기 에서 찾아 쓰세요.

보기
길었다　　나르니　　무너진

(1) 여러 사람이 힘을 합쳐 짐을 □□□ 쉽게 끝났다.

(2) □□□ 돌담 사이에서 노란 민들레가 피어났다.

(3) 우물에서 물을 □□□.

넓히기

밑줄 친 낱말을 맞춤법에 맞게 고쳐 보세요.

(1) 새 집을 흑으로 튼튼하게 지어라.

→ □

(2) 지렁이도 발브면 꿈틀한다.

→ □□□

시간 공부 날짜 　월 　일
푸는데 걸린 시간 　분

확인 맞은 개수 써보기

독해	개/7개	어휘	개/8개

7주 35회

해설편 18쪽

어휘·어법 총정리

7주차

보기 의 낱말을 보고, 뜻과 어울리는 것을 골라 아래의 빈칸에 써보세요.

보기: 시키다 무너지다 되찾다 다물다 빈틈없이 나르다

1. 위아래 입술을 마주 붙여서 닫다. [ ]
2. 어떤 일이나 행동을 하게 하다. [ ]
3. 허술하거나 부족한 점이 없이. [ ]
4. 다시 가지거나 얻게 되다. [ ]
5. 물건을 한 곳에서 다른 곳으로 옮기다. [ ]
6. 쌓여 있거나 서 있는 것이 허물어져 내려앉다. [ ]

어법 **다음 중 맞춤법에 맞는 것을 골라 동그라미 하세요.**

1. 힘들어도 [괜차나 / 괜찮아].
2. [끝까지 / 끗까지] 도와줄게.
3. 잘하고 [이써요 / 있어요].
4. [빈틈업씨 / 빈틈없이] 준비했다.
5. [꿋꿋이 / 꿋꾸시] 이겨내요.
6. [밟아도 / 발바도] 안 무너져.

확인 **나의 점수 확인하기**

어휘	개 / 6개	어법	개 / 6개

8주차

회차 / 영역	제목	계획 및 점검
36 인문 | 주장의 글	누구를 보낼까요? • 나는 ☐ 월 ☐ 일 ☐ 시에 공부할 것입니다.	• 독해력에서 나의 점수는 ☐ 점입니다. • 어휘력에서 맞은 문제수는 ☐ 개 / 8개 입니다. • 어려웠던 문제는 ______ 번입니다.
37 인문 | 설명문	한글 • 나는 ☐ 월 ☐ 일 ☐ 시에 공부할 것입니다.	• 독해력에서 나의 점수는 ☐ 점입니다. • 어휘력에서 맞은 문제수는 ☐ 개 / 8개 입니다. • 어려웠던 문제는 ______ 번입니다.
38 과학 | 설명문	자연은 발명왕 • 나는 ☐ 월 ☐ 일 ☐ 시에 공부할 것입니다.	• 독해력에서 나의 점수는 ☐ 점입니다. • 어휘력에서 맞은 문제수는 ☐ 개 / 8개 입니다. • 어려웠던 문제는 ______ 번입니다.
39 산문문학 | 전기	이순신 • 나는 ☐ 월 ☐ 일 ☐ 시에 공부할 것입니다.	• 독해력에서 나의 점수는 ☐ 점입니다. • 어휘력에서 맞은 문제수는 ☐ 개 / 8개 입니다. • 어려웠던 문제는 ______ 번입니다.
40 운문문학 | 시	달팽이 • 나는 ☐ 월 ☐ 일 ☐ 시에 공부할 것입니다.	• 독해력에서 나의 점수는 ☐ 점입니다. • 어휘력에서 맞은 문제수는 ☐ 개 / 8개 입니다. • 어려웠던 문제는 ______ 번입니다.

• 이번 주 독해력 문제에서 나의 점수는 평균 ☐ 점입니다.

• 이번 주 어휘력에서 맞은 문제수는 모두 ☐ 개입니다.

다음 글은 초대장을 받고 서로 가겠다고 나름대로 이유를 들어 주장하는 글이에요. 주장과 까닭을 잘 살피면서 '누구를 보내야 할까?'를 생각해 봐요.

1. [15점] 2. [15점] 3. [10점] 4. [15점] 5. [15점] 6. [15점] 7. [15점]

동물 마을에 별나라에서 보낸 초대장이 왔습니다.

초대장

우리별이 생겨난 날을 기념하는 잔치에 지구의 친구를 초대합니다.
지구를 대표할 수 있는 동물을 보내 주세요.

때: 2050년 12월 1일
곳: 별나라 꽃동산

이 초대장을 보고 많은 동물이 몰려들었습니다. 서로 자기가 지구를 대표하여 별나라에 가야 한다고 한마디씩 하였습니다.

먼저, 동물 마을에서 나이가 가장 많은 거북 할아버지께서 말씀하셨습니다.

"나는 아주 오래전부터 지구에서 살았습니다. 그래서 지구에 대하여 누구보다 잘 알고 있지요. 여러분이 태어나기 훨씬 전에 일어났던 일도 나는 많이 알고 있습니다. (　　㉠　　) 내가 별나라에 가야 합니다."

거북 할아버지의 말씀을 듣고 있던 동물들은 모두 고개를 끄덕였습니다.

거북 할아버지 앞에서 듣고 있던 아기 곰도 자리에서 일어나 말하였습니다.

"저는 나이는 어리지만, 지구를 무척 사랑해요. 만약, 제가 별나라에 가게 된다면 지구가 얼마나 아름답고 살기 좋은 곳인지 알려 주겠어요. 지구를 사랑하는 마음보다 더 중요한 것이 있을까요?"

그 자리에 모인 동물들은 아기 곰의 말을 듣고 모두 고개를 끄덕였습니다.

원숭이도 일어나서 말하였습니다.

"별나라에서는 신기한 일이 많이 일어날 것입니다. 저는 별나라에서 ㉠<u>보고 들</u>

은 일을 여러분께 생생하게 전할 수 있어요. 별나라가 어떤 곳인지 궁금해하는 친구가 많잖아요? 그곳의 모습을 잘 전할 수 있는 제가 지구의 대표가 되어야 합니다."

거북 할아버지, 아기 곰, 원숭이의 말을 듣고 있던 다른 동물들은 생각에 잠겼습니다.

어떤 동물이 지구를 대표하여 별나라에 가면 좋을까요?

1 주제찾기

거북, 곰, 원숭이가 공통으로 한 생각은 무엇입니까? ( )

① 기념하는 잔치를 열어야 한다.
② 별나라로 초대장을 보내야 한다.
③ 내가 지구를 대표하여 별나라에 가야 한다.
④ 지구를 사랑하는 동물이 별나라에 가야 한다.
⑤ 별나라에서 일어나는 일을 생생하게 전해야 한다.

2 글감찾기

내용과 어울리는 제목을 붙이세요.

□□□에 누구를 보낼까요?

3 사실이해

동물들은 무엇을 받아보고 몰려들었습니까? ( )

① 초대장
② 안내문
③ 일기문
④ 광고문
⑤ 편지글

해설편 18쪽

4
미루어알기

거북, 곰, 원숭이는 다른 동물들이 자기 말을 듣게 하려고 어떻게 말했습니까? ( )

① 목소리를 점점 높였다.
② 칭찬하는 말을 많이 했다.
③ 재미있는 옛날이야기를 했다.
④ 까닭을 들어 자기 생각이 옳다고 말했다.
⑤ 여러 가지 예를 들어 쉽게 이해하도록 했다.

5
세부내용

㉠에 들어가야 할 말을 고르세요. ( )

① 만약
② 하지만
③ 그리고
④ 그러니까
⑤ 왜냐하면

6
적용하기

다른 이의 말을 들을 때의 태도로 바람직한 것은 어느 것입니까? ( )

① 생각을 또렷하게 말한다.
② 말을 가로막고 질문한다.
③ 지루하다고 솔직히 말한다.
④ 말할 기회를 달라고 외친다.
⑤ 말을 듣고 고개를 끄덕인다.

7
요약하기

동물들의 의견을 간추렸습니다. 빈칸을 채우세요.

거북 할아버지	오래 살아서 ① ☐☐에 대해 잘 알고 있다.
아기 곰	지구를 무척 ② ☐☐한다.
원숭이	별나라에서 보고 들은 것을 ③ ☐☐하게 전할 수 있다.

어휘 넓히기

뜻

낱말의 뜻풀이로 알맞은 것을 보기 에서 골라 괄호 안에 기호를 쓰세요.

(1) 끄덕이다 (　　　)
(2) 신기하다 (　　　)
(3) 생생하다 (　　　)

보기
㉠ 믿을 수 없을 정도로 색다르고 놀랍다.
㉡ 마치 눈앞에 보이는 것처럼 또렷하고 분명하다.
㉢ 고개를 아래위로 가볍게 움직이다.

다지기

아래 문장의 빈칸에 알맞은 낱말을 보기 에서 찾아 쓰세요.

보기
끄덕였다　　　생생하다　　　신기하다

(1) 그 마술은 아무리 보아도 [　][　][　][　].
(2) 선생님의 말씀에 아이들은 고개를 [　][　][　][　].
(3) 유치원 다닐 때의 기억이 아직도 [　][　][　][　].

넓히기

밑줄 친 낱말을 맞춤법에 맞게 고쳐 보세요.

(1) 돌잔치에 와달라는 <u>초댓장</u>을 받았습니다.

(2) 보고 들은 일을 <u>열어분게</u> 생생하게 전할 수 있어요.

→ [　][　][　][　]

시간

공부 날짜 [　　] 월 [　　] 일
푸는데 걸린 시간 [　　　] 분

확인

맞은 개수 써보기

독해	[　　] 개/7개	어휘	[　　] 개/8개

8주 36회

해설편 18쪽

37

우리에게는 우리말을 정확하게 적어서 나타낼 수 있는 문자인 한글이 있어요. 한글은 누가, 언제, 왜 만들었을까요? 또 한글이 아주 새롭고 우수하다고 말하는 까닭은 무엇일까요?

1. 15점 2. 15점 3. 10점 4. 15점 5. 15점 6. 15점 7. 15점

세상의 글자는 대개 누가 언제 만들었는지 정확하게 알려져 있지 않아요. 하지만, 우리 글자인 한글은 누가 언제 만들었는지 정확하게 알려져 있어요. 한글은 600여 년 전쯤 세종대왕이 만들었어요.

세종대왕은 한글을 만든 까닭을 밝혔어요. "우리나라 말이 중국말과 달라서 어리석은 백성들이 말하고 싶은 것이 있어도 스스로 뜻을 말하지 못하는 사람이 많다. 내가 이런 사정을 딱하게 여겨 새로 28자를 만들었다."라고 말입니다. 한글을 만들기 전에는 우리 글자가 없었기 때문에 중국 글자인 한자를 빌려 썼지요. 입으로 하는 말과 손으로 쓰는 글이 다른데다가 한자는 어려워서 백성들이 배우고 쓰기 힘들었어요. 그래서 세종대왕은 백성들이 쉽게 배우고 쉽게 쓸 수 있는 우리 글자를 만든 거예요.

한글은 다른 나라 글자를 본뜨거나 받아들여 비슷하게 만든 것이 아닙니다. 소리가 나는 입과 목의 위치, 하늘과 땅과 사람의 모양을 본떠 우리의 힘으로 새롭게 만든 글자예요. 소리가 나는 입과 목의 위치를 본떠 자음의 기본 글자를 만들었기 때문에 글자의 모양만 보면 그 글자의 소리를 짐작할 수 있어요. 또한, 기본 글자에 획을 더하여 같은 종류의 글자를 더 만들어 내는 방법(ㄱ-ㅋ-ㄲ)은 대단히 훌륭한 방법이에요. 모음은 하늘의 둥근 모양을 본뜬 'ㆍ'와 땅의 평평한 모양을 본뜬 'ㅡ', 사람이 서 있는 모양을 본뜬 'ㅣ'를 기본 글자로 삼고, 이들을 합쳐서 다시 다른 글자를 만들었지요.

1
주제찾기

글의 중심 내용은 무엇입니까? .... (　　)

① 한글이 만들어진 때
② 한글이라는 이름의 뜻
③ 한글을 만든 이유와 만든 방법
④ 한글로 전하지 못하는 뜻
⑤ 한글의 자음과 모음

2
글감찾기

글감을 글에서 찾아 한 낱말로 쓰세요.

□□

3
사실이해

세종대왕이 처음 만든 글자는 몇 자입니까? .... (　　)

① 25자
② 26자
③ 27자
④ 28자
⑤ 29자

8주 37회

해설편 19쪽

4
미루어알기

한글이 좋은 글자라고 할 수 있는 까닭은 무엇입니까? .... (　　)

① 입으로 하는 말
② 손으로 쓰는 글
③ 입과 손을 모두 사용하는 말
④ 쉽게 배우고 쉽게 쓸 수 있는 글자
⑤ 쉽게 배우지만 쓰기가 쉽지 않은 글자

5
세부내용

소리가 나는 입과 목의 위치를 본떠 만든 것은 무엇입니까? ( )

① 모음
② 자음
③ 한자
④ 한문
⑤ 글자

6
적용하기

하늘의 둥근 모양을 본뜬 'ㆍ'와 땅의 평평한 모양을 본뜬 'ㅡ'를 합쳐 만든 글자는 어느 것입니까? ( )

① ㅏ
② ㅓ
③ ㅑ
④ ㅕ
⑤ ㅗ

7
요약하기

각 문단의 주요 내용을 간추렸습니다. 빈칸을 채우세요.

1문단	한글을 만든 때
2문단	세종대왕이 한글을 만든 ① [ ][ ]
3문단	② [ ][ ]과 ③ [ ][ ]을 만든 원리

어휘 넓히기

뜻 낱말의 뜻풀이로 알맞은 것을 보기 에서 골라 괄호 안에 기호를 쓰세요.

(1) 정확하다 (   )
(2) 비슷하다 (   )
(3) 짐작하다 (   )

보기
㉠ 아주 똑같지는 않지만 닮은 점이 많다.
㉡ 어림잡아 헤아리다.
㉢ 바르고 확실하다.

다지기 아래 문장의 빈칸에 알맞은 낱말을 보기 에서 찾아 쓰세요.

보기
짐작했다 정확하다 비슷하다

(1) 이 시계는 □□□□.
(2) 나와 형은 얼굴 생김새가 □□□□.
(3) 목소리를 듣고 친구가 화가 났다는 것을 □□□□.

넓히기 밑줄 친 낱말을 맞춤법에 맞게 고쳐 보세요.

(1) 우리 글자인 한글은 누가 언제 만들었는지 정확하게 <u>알려저</u> 있어요.
→ □□□

(2) <u>대다니</u> 훌륭한 방법
→ □□□

시간 공부 날짜 □월 □일
푸는데 걸린 시간 □분

확인 맞은 개수 써보기

독해	개/8개	어휘	개/8개

8주 37회
해설편 19쪽

38

발명은 '전에 없던 물건이나 방법을 새로 생각하여 만들어 내는 것'이에요. 이때, 자연을 보고 생각해 낸 물건들이 있다고 해요. 함께 알아봅시다.

1. 15점 2. 15점 3. 15점 4. 15점 5. 10점 6. 15점 7. 15점

유리창에 붙어 있는 인형을 본 적이 있나요? 인형을 붙일 때 사용하는 흡착판은 문어의 빨판을 본떠 만들었습니다. 문어는 빨판을 이용하여 어디에나 잘 달라붙습니다. 우리가 흔히 쓰는 칫솔걸이도 이것을 본떠 만든 물건입니다.

낙하산은 민들레 씨를 본떠 만들었습니다. 민들레 씨의 가는 실 끝에는 털이 여러 개 달려 있습니다. 이 털이 있어서 민들레 씨는 둥둥 떠서 멀리까지 날아갈 수 있습니다. 또, 천천히 땅에 떨어지게 됩니다. 낙하산을 이용하면 비행기에서 안전하게 땅으로 내려올 수 있습니다.

숲속을 걷다 보면 옷에 열매가 붙을 때가 있습니다. 도꼬마리 열매에는 갈고리 모양의 가시가 많이 있습니다. 그래서 짐승의 털에 잘 붙습니다. 이것을 ㉠보고 단추나 끈보다 더 쉽게 붙였다 떼었다 할 수 있는 물건을 만들었습니다.

〈도꼬마리〉

이렇게 우리 주변에는 동물이나 식물을 본떠 만든 발명품이 많습니다. 이런 물건은 사람들의 생활을 더 편하게 만들어 줍니다. 자연은 누구보다 위대한 발명왕인 셈입니다.

1 주제찾기

중심 내용은 무엇입니까? ( )

① 유리창에는 인형이 잘 붙는다.
② 문어는 빨판을 이용하여 움직인다.
③ 낙하산은 민들레 씨를 본떠 만들었다.
④ 낙하산을 이용하면 안전하게 땅으로 내려올 수 있다.
⑤ 우리 주변에는 동물이나 식물을 본떠 만든 발명품이 많다.

2 제목찾기

글에 나온 낱말을 넣어서 제목을 완성하세요.

☐☐은 발명왕

3 사실이해

흡착판은 문어의 무엇을 본떠 만들었습니까? ( )

① 인형
② 빨판
③ 씨앗
④ 가시
⑤ 단추

4 미루어알기

글을 읽고 알맞게 떠올린 생각은 어느 것입니까? ( )

① 물건은 모두 본떠 만든 것이다.
② 칫솔걸이에는 빨판이 없어도 된다.
③ 털이 있어야 짐승의 몸에 잘 달라붙는다.
④ 자연을 잘 관찰하고 노력하면 나도 발명할 수 있다.
⑤ 숲속을 걸을 때 열매가 달라붙지 않게 조심해야 한다.

8주 38회

해설편 19쪽

5
세부내용

㉠을 대신하여 쓸 수 있는 낱말은 무엇입니까? ( )

① 본떠 ② 붙여 ③ 달아
④ 날려 ⑤ 떼어

6
적용하기

빙글빙글 도는 단풍나무의 씨앗을 보고 만들 수 있는 것을 고르세요. ( )

① 프로펠러 ② 주사기 ③ 수영복
④ 자동차 ⑤ 렌즈

7
요약하기

동물이나 식물을 본떠 만든 물건을 간추렸습니다. 빈칸에 알맞은 말을 쓰세요.

흡착판	문어의 ① □□
② □□□	민들레 씨
찍찍이	도꼬마리 열매의 ③ □□

어휘 넓히기

뜻 낱말의 뜻풀이로 알맞은 것을 보기 에서 골라 괄호 안에 기호를 쓰세요.

(1) 본뜨다 (　　)
(2) 떼다 (　　)
(3) 위대하다 (　　)

보기
㉠ 따로 떨어지게 하다.
㉡ 본으로 삼아 그대로 만들다.
㉢ 뛰어나고 훌륭하다.

다지기 아래 문장의 빈칸에 알맞은 낱말을 보기 에서 찾아 쓰세요.

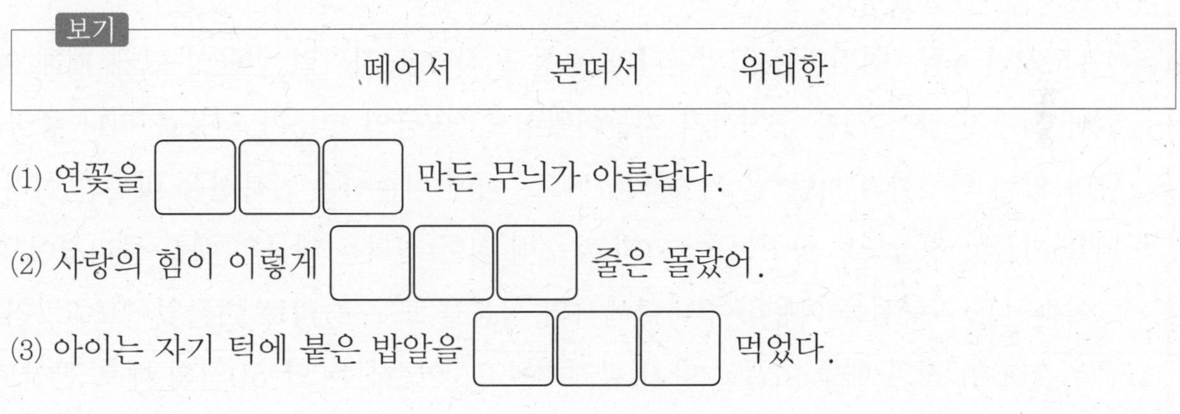

보기
떼어서　　본떠서　　위대한

(1) 연꽃을 □□□ 만든 무늬가 아름답다.
(2) 사랑의 힘이 이렇게 □□□ 줄은 몰랐어.
(3) 아이는 자기 턱에 붙은 밥알을 □□□ 먹었다.

넓히기 밑줄 친 낱말을 맞춤법에 맞게 고쳐 보세요.

(1) 유리창에 부터 있는 인형을 본 적이 있나요?
→ □□

(2) 갈고리 모양의 가시가 마니 있습니다.
→ □□

공부 날짜 □ 월 □ 일
푸는데 걸린 시간 □ 분

맞은 개수 써보기

독해	□ 개/7개	어휘	□ 개/8개

8주 38회

해설편 19쪽

39

이순신 장군은 임진왜란에서 조선을 구한 영웅이에요. 뛰어난 군사 작전으로 단 한 번도 패배한 적이 없었지요. 이순신이라는 이름만 들어도 일본군은 도망가기에 바빴다고 해요. 이순신 장군에 대해 자세히 알아볼까요?

1. 15점 2. 15점 3. 10점 4. 15점 5. 15점 6. 15점 7. 15점

어릴 때부터 전쟁놀이를 즐겼던 이순신은, 장차 장군이 되고 싶어 했으며, 글공부도 게을리하지 않아 성실하고 총명한 청년으로 자랐어요. 장군이 되기 위해 관직에 오른 이순신은 우리나라의 북쪽 끝, 함경도 국경을 지키다가 왜군이 침입할 것을 예상한 유성룡과 권율의 추천으로 전라 좌도 수군절도사가 되었어요. 이순신은 군사를 훈련하고 군사들과 함께 농사를 지어 군량미를 마련하였으며, 왜군의 침략에 대비해 거북선 등 많은 배를 만들었어요.

1592년 4월, 임진왜란이 일어나자 경상도 지방을 지키던 원균이 크게 패해 왜군이 얼마 지나지 않아 서울 근처까지 쳐들어왔어요. 임금인 선조가 서울을 떠나 중국과 맞닿아 있는 의주까지 피란[1]을 가게 되었어요. 이에 이순신은 거북선을 비롯한 여러 척의 배를 이끌고 경상도로 향했어요. 그리고 수백 척이나 되는 왜군의 배를 물리쳤어요.

이순신은 거북선을 이용하여 바다에서의 싸움을 모두 승리로 이끌었어요. 그러자 왜군은 100여 척의 배를 이끌고 다시 공격해왔고, 이순신은 단 50척의 배로 한산도에서 적의 배와 군대에 맞서 뛰어난 힘을 떨치며 크게 승리를 거두었어요.

임금인 선조가 피난[2]을 갔다가 다시 한양으로 돌아왔지만, 벼슬아치들이 서로 무리를 지어 싸우는 바람에 이순신은 누명[3]을 쓰고 옥살이를 하게 되었어요. 그러자 영의정 유성룡이 이순신에게는 잘못이 없다며 그를 감싸 주었어요. 비록 옥에서는 풀려났지만, 조정에서는 그에게 아무 벼슬도 주지 않았어요. 어쩔 수 없이 이순신은 육지에서 권율 장군을 따라 전쟁터에 나가게 되었어요. 하지만 그는 한 마디 불평도 하지 않고 오직 나라만 생각하며 권율 장군을 도와 열심히 싸웠어요.

그러는 동안 바다는 다시 왜군의 차지가 되었어요. 그리고 이순신의 자리를 대신했던 원균이 왜적에게 크게 패하고 전사하자 선조는 다시 이순신을 삼도 수군통제사[4]로 임명해 바다로 보냈어요. 이순신이 도착했을 때 당시 적에게 맞설 수 있는 배는 단 12척뿐이었고, 군사들도 싸울 힘을 잃고 지쳐 있었어요. 도저히 싸움터에 나갈 수 없을 듯했지만, 이순신은 포기하지 않고 싸울 준비를 했어요.

1598년에 왜 나라의 도요토미 히데요시[5]가 세상을 뜨자 왜군들은 철수하기 시작했어요. 이때를 노린 이순신은 11월 19일, 중국 명나라 수군과 함께 노량 앞바다로 나갔어요.

싸움이 시작되자 바다는 불타는 배와 군인들의 아우성[6]으로 가득했어요. 공격이 막바지에 이르렀을 때 이순신은 가슴을 움켜쥐며 비틀거렸어요. 아들 회와 조카 완이 달려오자 이순신은 나지막이 말했어요.

"내가 죽은 것을 알면 우리 군인들의 힘이 떨어질 것이다. 내 죽음을 알리지 마라. 나를 방패로 가리고 완이가 병사들을 이끌도록 하라."

이순신이 남긴 말대로 싸움이 끝날 때까지 모든 병사가 온 힘을 다해 싸웠고, 적군은 500여 척의 배를 잃고 싸움에서 크게 졌습니다.

❶ 피란 (전쟁과 같은) 난리를 피해 옮겨 감. ❷ 피난 (전쟁, 지진, 홍수 등의 포괄적인) 재난을 피해 멀리 옮겨 감. ❸ 누명 사실이 아닌 일로 이름을 더럽히는 억울한 평판. ❹ 삼도 수군통제사 임잰왜란 때, 경상·전라·충청의 수군을 통솔하는 일을 맡은 무관 벼슬. ❺ 도요토미 히데요시 일본을 통일. 중국 침략을 위해 우리나라를 공격. 임진왜란을 일으킴. ❻ 아우성 여럿이 함께 기세를 올려 악을 쓰며 부르짖는 소리.

1 주제찾기

가장 인상 깊게 떠올린 내용은 무엇입니까? ( )

① 바다에서 싸우는 군인
② 남보다 먼저 겪는 어려움
③ 나라를 위해 온 힘을 다한 삶
④ 무리를 지어 서로 싸우는 어리석음
⑤ 장군이 되기까지 겪게 되는 어려운 길

2 제목찾기

이름을 빈칸에 넣어 제목을 붙이세요.

[ ][ ][ ] 장군의 삶

3 사실이해

이순신이 군인이 되어 처음 간 곳은 어디입니까? ( )

① 함경도 ② 평안도
③ 충청도 ④ 전라도
⑤ 경상도

8주 39회

해설편 20쪽

4 미루어알기

글을 읽고 떠올릴 수 있는 일은 어느 것입니까? ( )

① 류성룡은 이순신의 친척이다.
② 원균은 능력이 뛰어난 군인이다.
③ 선조 임금은 나라를 잘 다스렸다.
④ 이순신은 노량 앞바다 전투에서 세상을 떠났다.
⑤ 왜군은 조선의 바다를 한 번도 차지한 적이 없다.

5 세부내용

이순신이 바다에서 싸워 크게 이길 수 있도록 한 것은 무엇입니까? ( )

① 글공부 ② 거북선
③ 군량미 ④ 옥살이
⑤ 전쟁터

6 적용하기

왜군과의 싸움에서 이긴 장면을 가장 잘 드러낸 것을 고르세요. ( )

① 전쟁은 절대 안 돼!
② 수군절도사가 된 장군!
③ 거북 모양의 배를 만들자!
④ 내 죽음을 병사에게 알리지 마라!
⑤ 적은 수의 배로 적의 500여 척 배를 깨뜨리다!

7 요약하기

이야기를 다음과 같이 간추렸습니다. 빈칸을 채우세요.

> 함경도에서 국경을 지킨 이순신 → ① □□□으로 왜군을 크게 물리친 이순신 → 누명으로 옥살이 후 다시 바다를 지키는 책임자가 된 이순신 → 노량 앞바다 전투의 승리와 이순신의 ② □□

어휘 넓히기

뜻 **낱말의 뜻풀이로 알맞은 것을 보기 에서 골라 괄호 안에 기호를 쓰세요.**

(1) 총명하다 (　　　)
(2) 승리 (　　　)
(3) 패하다 (　　　)

보기
㉠ 싸움이나 승부를 가리는 경기 등에서 지다.
㉡ 썩 영리하고 기억력이 좋으며 재주가 있다.
㉢ 겨루어서 이김.

다지기 **아래 문장의 빈칸에 알맞은 낱말을 보기 에서 찾아 쓰세요.**

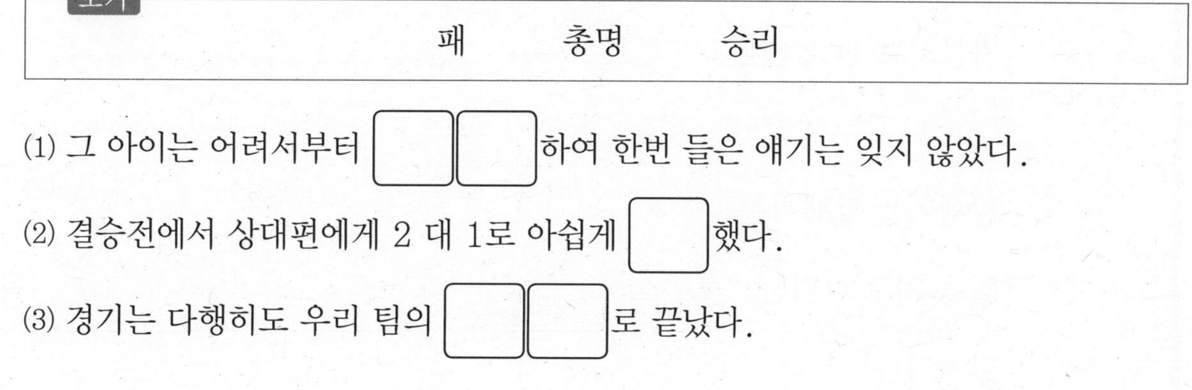

보기
패　　총명　　승리

(1) 그 아이는 어려서부터 ☐☐하여 한번 들은 얘기는 잊지 않았다.
(2) 결승전에서 상대편에게 2 대 1로 아쉽게 ☐했다.
(3) 경기는 다행히도 우리 팀의 ☐☐로 끝났다.

넓히기 **밑줄 친 낱말을 맞춤법에 맞게 고쳐 보세요.**

(1) 장차 장군이 되고 <u>시펴</u> 했다.

→ 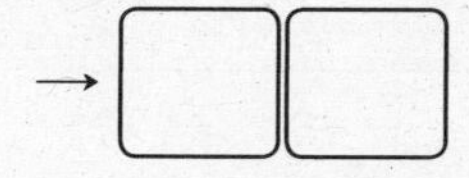

(2) 500여 척의 배를 <u>일코</u> 싸움에서 크게 졌습니다.

→ 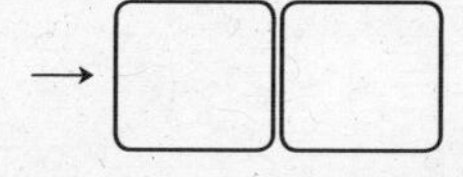

공부 날짜 ☐ 월 ☐ 일
푸는데 걸린 시간 ☐ 분

맞은 개수 써보기

독해	☐ 개/7개	어휘	☐ 개/8개

8주 39회
해설편 20쪽

40

생각 열기 달팽이의 모습을 관찰해본 적이 있나요? 태어날 때부터 집을 지고 사는 달팽이는 참 느릿느릿 꼼지락꼼지락 움직이지요.

점수 계산 1. 15점 2. 15점 3. 10점 4. 15점 5. 15점 6. 15점 7. 15점

달팽이는 달팽이는
집을 지고 다니는
달팽이는

집 볼 사람 필요 없네.
자물쇠도 필요 없네.

달팽이는 달팽이는
집을 지고 다니는
달팽이는

비가 와도 걱정 없네.
저물어도 걱정 없네.

1 주제찾기

시에 담긴 중심 생각은 무엇입니까? ( )

① 동물은 집이 없다.
② 사람은 집을 돌봐야 한다.
③ 달팽이는 집을 지고 다닌다.
④ 비가 오면 집이 비에 젖는다.
⑤ 날이 저물면 마음에 걱정이 생긴다.

2 글감찾기

글감이 된 동물의 이름을 쓰세요.

3 사실이해

달팽이가 늘 지고 다니는 것을 고르세요. ( )

① 집
② 사람
③ 자물쇠
④ 비
⑤ 걱정

4 미루어알기

시를 읽고 떠올린 모습으로 알맞은 것은 어느 것입니까? ( )

① 지붕 위에 달팽이가 있다.
② 달팽이가 집을 찾고 있다.
③ 달팽이가 천천히 기어간다.
④ 집이 큰 자물쇠로 잠겨 있다.
⑤ 달팽이가 부지런히 먹이를 먹고 있다.

8주 40회

해설편 20쪽

5
세부내용

가장 여러 번 나타난 말은 무엇입니까? ( )

① 달팽이는
② 자물쇠도
③ 필요 없네
④ 걱정 없네
⑤ 지고 다니는

6
적용하기

빈칸에 어울리는 낱말은 무엇입니까? ( )

달팽이는 달팽이는
□□□□ 다니는
달팽이는

① 느릿느릿
② 새근새근
③ 뒤뚱뒤뚱
④ 터벅터벅
⑤ 폴짝폴짝

7
요약하기

시를 다음과 같이 간추렸습니다. 빈칸을 채우세요.

달팽이는 ① □을 지고 다닌다.
집 볼 사람이나 ② □□□가 필요 없고,
비가 오거나 저물어도 ③ □□이 없다.

어휘 넓히기

뜻

낱말의 뜻풀이로 알맞은 것을 보기 에서 골라 괄호 안에 기호를 쓰세요.

(1) 지다 (　　)
(2) 저물다 (　　)
(3) 걱정 (　　)

보기
㉠ 물건을 짊어서 등에 얹다.
㉡ 해가 져서 어두워지다.
㉢ 어떤 일이 잘못될까 불안해하며 속을 태움.

다지기

아래 문장의 빈칸에 알맞은 낱말을 보기 에서 찾아 쓰세요.

보기
지고　　걱정　　저물고

(1) 커다란 가방을 등에 ☐☐ 산에 올랐다.

(2) 해가 ☐☐☐ 추워지자 아이들이 집으로 돌아갔다.

(3) 동생이 몸이 약해서 ☐☐이다.

넓히기

밑줄 친 낱말을 맞춤법에 맞게 고쳐 보세요.

(1) 아는 길이라 지도가 필요 <u>업네</u>.

→ ☐☐

(2) 날씨가 추워져도 <u>걱쩡</u> 없네.

→ ☐☐

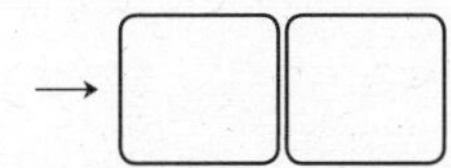

공부 날짜 ☐ 월 ☐ 일
푸는데 걸린 시간 ☐ 분

맞은 개수 써보기

독해	개/7개	어휘	개/8개

8주 40회
해설편 20쪽

어휘·어법 총정리

보기 의 낱말을 보고, 뜻과 어울리는 것을 골라 아래의 빈칸에 써보세요.

보기	걱정	비슷하다	끄덕이다	위대하다	생생하다	승리

1. 고개를 아래위로 가볍게 움직이다. [ ]
2. 마치 눈앞에 보이는 것처럼 또렷하고 분명하다. [ ]
3. 아주 똑같지는 않지만 닮은 점이 많다. [ ]
4. 뛰어나고 훌륭하다. [ ]
5. 겨루어서 이김. [ ]
6. 어떤 일이 잘못될까 불안해하며 속을 태움. [ ]

어법 **다음 중 맞춤법에 맞는 것을 골라 동그라미 하세요.**

1. 나는 체육시간이 [시러 / 싫어]!
2. [여러분게 / 여러분께] 감사드립니다.
3. 잘 [알려저 / 알려져] 있다.
4. 유리창에 [붙어 / 부터] 있다.
5. 소 [잃고 / 일코] 외양간 고친다.
6. [걱쩡 / 걱정]으로 밤을 새우다.

나의 점수 확인하기

어휘	개 / 6개	어법	개 / 6개

평가와 진단하기

1. 각 회차의 유형에 정답을 맞혔으면 'ㅇ'표를 틀렸으면 '×'를 하세요.
2. 제재별 '소계'에 유형별로 맞은('ㅇ'표) 개수를 쓰세요.
3. 영역별로 맞힌 개수를 적고, 부족한 부분을 파악해 보세요.
4. 많이 틀리는 유형이 한눈에 보이므로 자신의 부족한 부분을 진단하고 보완하세요.

영역	회/주차	1번 (주제찾기)	2번 (제목(글감)찾기)	3번 (사실이해)	4번 (미루어알기)	5번 (세부내용)	6번 (적용하기)	7번 (요약하기)
인문 (　) /56개	1/01							
	2/06							
	3/11							
	4/16							
	5/21							
	6/26							
	7/31							
	8/36							
	소계	(　)/8개	(　)/8개	(　)/8개	(　)/8개	(　)/8개	(　)/8개	(　)/8개
사회 (　) /56개	1/02							
	2/07							
	3/12							
	4/17							
	5/22							
	6/27							
	7/32							
	8/37							
	소계	(　)/8개	(　)/8개	(　)/8개	(　)/8개	(　)/8개	(　)/8개	(　)/8개
과학 (　) /56개	1/03							
	2/08							
	3/13							
	4/18							
	5/23							
	6/28							
	7/33							
	8/38							
	소계	(　)/8개	(　)/8개	(　)/8개	(　)/8개	(　)/8개	(　)/8개	(　)/8개

1 단계
1, 2학년 대상
독해력 키움
초등국어
7가지 비법으로 체계적인 독해력 향상
7유형 독해법
정답 및 해설
한국학력평가원

1주차

01 말과 글

본문 10쪽

1 ③　2 말, 글　3 ①　4 ④
5 ⑤　6 ① 말, ② 글　7 ① 소리, ② 글자

어휘력 키우기

뜻 (1) ㉢　(2) ㉡　(3) ㉠
다지기 (1) 덜었다　(2) 아득하다　(3) 불편하다
넓히기 (1) 한자　(2) 글자

1. 말과 글이 다르다는 점이 처음에 나온 내용입니다. 오늘날 우리나라 사람들이 사용하는 말과 글인 한글을 중심으로 삼아, 말과 글의 소중함을 설명하였지요.

2. 글에서 가장 자주 나타난 낱말을 찾아서 답을 쓰세요.

3. 글의 처음 두 문장을 보면, 말과 글이 생각이나 느낌을 전하는 것이라고 나오죠. 한글도 우리의 생각과 느낌을 마음대로 나타내기 위해 만들어졌다고 본문에 나와요.

4. 우리나라에 글자가 없어서 불편했다는 내용에서 떠올릴 수 있는 것을 찾아보세요.
① 소리가 모두 말이 될 수는 없어요.
② 차이가 있음을 분명하게 밝혀놓았어요.
③ 알 수 없으며, 실제로 글자가 없는 나라가 많아요.
⑤ 중국 글자를 빌려 쓰기는 해도 같지는 않았어요.

5. 첫 문단의 끝 문장에 중국 사람들은 중국 글자인 '한자'를 쓴다고 나오네요.

6. 말과 글은 달라요. 그래서 5살 되는 아이가 말은 잘해도, 글은 쓰지 못할 수 있어요.

7. 첫 문단에 말과 글의 뜻이 나와 있네요.

어휘력 키우기

다지기 (1) 동생이 병이 나면 걱정이 많이 될 거에요. 그런데 병이 다 나으면 걱정이 적어지겠지요. 알맞은 낱말은 '덜었다'예요.
(2) 자라고 나면 어릴 때의 기억이 까마득하게 느껴질 거예요. 그럴 때 쓰는 말이 '아득하다'입니다.
(3) 의자가 너무 딱딱하면 앉기에 불편하지요.

넓히기 (1) [한짜]로 소리 나지만 '한자'로 써야 해요.
(2) [글짜]로 소리 나지만 '글자'로 써야 해요.

02 인사할까? 말까?

본문 14쪽

1 ④　2 인사　3 ①　4 ⑤
5 ③　6 ① 안녕하세요? ② 고맙습니다(감사합니다). ③ 안녕히 가세요. ④ 미안해.
7 ① 예쁜, ② 안녕하세요, ③ 어흥 어흥

어휘력 키우기

뜻 (1) ㉡　(2) ㉠　(3) ㉢
다지기 (1) 냠냠　(2) 생글생글　(3) 깜짝
넓히기 (1) 싫어　(2) 이렇게

1. 내 마음대로 하는 인사는 밉다고 했어요. 예쁘게 인사하면 기분이 참 좋아진다고 했어요.

2. 이야기에 여러 번 나온 낱말을 찾아보세요.

3. '"안녕하세요?", 예쁘게 인사하라고?'에 나오네요.

4. 이야기를 따라가 보세요. 이야기의 끝을 보면, 예쁘게 인사를 했더니 기분이 좋다고 했네요.

5. 예쁘게 웃는 모습을 더 들어 볼까요. '생글생글', '싱글벙글', '벙글벙글' '방실방실' 등.

6. 자신이 겪은 일을 떠올리면서 알맞은 인사말을 써 보세요.

7. 글을 다시 읽고 알맞은 낱말을 찾아 빈칸을 채워 보세요.

어휘력 키우기

다지기 (1) 케이크를 맛있게 먹는 소리는 흉내 내는 말은 보기 중 '냠냠'이에요.
(2) 정답게 자꾸 웃는 모양을 흉내 낸 말은 '생글생글'이에요.
(3) 아기가 천둥소리에 놀랐어요. 빈칸에 어울리는 말은 '깜짝'이에요.

넓히기 (1) [시러]로 소리나지만 '싫다'에서 온 말이므로 '싫어'로 써야 해요.
(2) [이러케]로 소리나지만 '이렇다'에서 온 말이므로 '이렇게'로 써야 해요.

03 숫자 세기

본문 18쪽

1 ⑤ 2 숫자 3 ⑤ 4 ①
5 ② 6 ⑤
7 ① 일, ② 이, ③ 셋, ④ 사, ⑤ 다섯

어휘력 키우기

뜻 (1) ㉠ (2) ㉢ (3) ㉡
다지기 (1) 이번 (2) 우리 (3) 근처
넓히기 (1) 없이 (2) 넣으면

1. 1~5까지의 숫자 이름과 덧셈 뺄셈을 설명하고 있어요.

2. 이 글에서는 수를 숫자나 글자로 표시한 것들을 부르고 읽는 방법을 자세하게 설명하고 있네요.

3. 글에 나온 숫자 중에서 가장 큰 수를 찾으라는 문제입니다. 1부터 5까지의 수 가운데 가장 큰 수는 5입니다.

4. 1이라고 '쓰고', '일'이라고 '읽는다'고 했어요. 숫자 쓰기와 읽기를 설명했네요.

5. 다섯 마리 중 한 마리를 우리에 넣고 남는 수를 나타내는 식을 찾으세요.

6. 울타리 안의 다섯 마리에서 네 마리를 빼면 남는 수를 나타내는 식을 찾으세요.

7. 다시 글을 살펴보며 수를 쓰고 읽는 방법에 대해 정리해 보세요.

어휘력 키우기

다지기 (1) 이제 막 지나간 차례의 연주회가 감동적이었다는 뜻이에요. '이번'이라는 낱말이 들어가야겠네요.
(2) 양떼를 몰아넣어야 할 곳은 짐승이 사는 우리이지요. '나, 너, 우리'의 '우리'와 헷갈리면 안 되겠네요.
(3) 우리 집 가까운 곳에 공원이 많다는 뜻이에요. 빈칸에 들어갈 말은 '근처'네요.

넓히기 (1) [업씨]로 소리나지만 '없이'로 써야 해요.
(2) [너으면]로 소리나지만 '넣다'에서 온 말이므로 '넣으면'으로 써야 해요.

04 곰과 여우

본문 22쪽

1 ③ 2 곰, 여우 3 ④ 4 ⑤
5 ① 6 ④ 7 ① 곰, ② 여우, ③ 꿀, ④ 벌집

어휘력 키우기

뜻 (1) ㉠ (2) ㉡ (3) ㉢
다지기 (1) 성큼성큼 (2) 슬금슬금 (3) 따끔따끔
넓히기 (1) 않을래 (2) 받을게

1. 이야기에서, 여우가 곰을 속이고 혼자 꿀을 먹으려다 벌에게 쏘이는 벌을 받고 있어요.

2. 일을 일으킨 두 동물을 생각해봐요. 꿀을 따서 나눠 먹기로 한 곰과 여우겠죠.

3. 곰에게 꿀을 따서 나눠 먹자고 한 동물을 생각해 보세요.

4. 이야기의 내용을 보면, 여우는 벌집 속에 있는 꿀을 혼자 먹으려고 벌집을 들고 도망쳤지요. 그 결과 벌들이 여우를 쫓아가며 침을 쏘아 댔지요.

5. 이야기의 끝을 보면, 벌들에게 쏘인 여우가 아파서 큰 소리로 '엉엉' 울었어요.
② 벌이 떼를 지어 날아가는 소리
③ 빠르게 달려가는 모습
④ 알아채지 못하게 천천히 다가가는 모습
⑤ 걸음을 크게 옮겨가는 모습이에요.

6. 여우가 욕심을 부리지 않았다면 아마 곰과 여우는 원래 계획대로 서로 꿀을 나누어 먹었겠지요?

7. 글을 다시 읽어 보고 빈칸에 넣을 낱말을 찾아보세요.

어휘력 키우기

다지기 (1) 다리가 긴 황새가 걷는 모습을 생각해 보세요. '성큼성큼'이 어울리네요.
(2) 게가 쏙 나왔다가 인기척을 느끼고 슬며시 도망쳤어요. '살금살금' 움직였겠네요.
(3) 벌레 물리면 어떤가요? '따끔따끔' 아프지요.

넓히기 (1) [안을래]로 소리나지만 '않을래'로 써야 해요.
(2) [받을께]로 소리나지만 '받을게'로 써야 해요.

05 밤길

본문 26쪽

1 ① 2 밤길 3 ① 4 ②
5 ⑤ 6 무서울까 7 ① 달님, ② 개구리

어휘력 키우기

뜻 (1) ㉢ (2) ㉡ (3) ㉠
다지기 (1) 밤길 (2) 비추는 (3) 심심한
넓히기 (1) 줘요 (2) 봐

1. 밤길을 혼자 걸어도 넘어질까 봐 달님이 길을 비추어 줘요. 혼자 걸어가면 심심할까 봐 개구리가 노래해 줘요. 달님과 개구리가 나와 함께 하니까 외롭지 않아요.
2. 시의 첫 행(줄)을 보세요. 시에서 말하고 있는 사람이 걸어가고 있는 길을 뜻하는 낱말이 딱 하나 나와요.
3. 심심할까봐 개굴개굴 노래해 준 동물을 생각해 보세요.
4. '따라오며 비추어 줘요'라고 했으므로 뒤쪽에 있다고 보아야 하겠죠.
5. '개굴개굴'은 개구리가 우는 소리를 흉내 낸 말이죠.
6. '무서운' 밤길을 걸으면 당연히 무섭겠죠. '내가 혼자 무섭지 않도록 아빠가 함께 걸었다.'를 표현해 보세요.
7. 시의 내용을 다시 한번 살펴보고 빈칸에 들어갈 낱말을 생각해 보세요.

어휘력 키우기

다지기 (1) 밤에 걷는 길, 밤길은 어두워서 넘어지기 쉬워요.
(2) 화분은 보통 해가 빛을 보내 밝게 하는 곳에 두지요.
(3) 동생이 왜 놀자고 졸랐을까요? 심심해서 그랬을 것 같아요.

넓히기 (1) 비추어 '줘요'이지요.
(2) 심심할까 '봐'예요. 우리가 흔히 [바]라고 발음하는데 그건 잘못 발음한 거예요.

어휘·어법 총정리 1주차

본문 30쪽

어휘 1 아득하다 2 생글생글
3 깜짝 4 성큼성큼
5 따끔따끔 6 심심하다
어법 1 한글이 2 않을래
3 한자 4 많이
5 넣으면 6 없이

2주차

06 재미있게 ㄱㄴㄷ

본문 32쪽

1 ④ 2 자음 3 ① 4 ④
5 ① 6 ⑤
7 ① 공기, ② 닿소리, ③ 받침, ④ 기역

어휘력 키우기

뜻 (1) ㉡ (2) ㉠ (3) ㉢
다지기 (1) 순서 (2) 닿아서 (3) 알아볼
넓히기 (1) 납니다 (2) 위쪽

1. 순서에 따라 자음의 글자 모양이 어떠하며, 그 글자를 어떤 이름으로 읽어야 하는지 설명하고 있어요.
2. 글의 둘째 문장에 나오고 있지요.
3. 둘째 문장에 '닿소리'라고 나오네요.
4. 'ㄴ'은 'ㄴ+ㅣ+으+ㄴ'의 방식으로 이름을 붙였어요. 곧, '이름 붙이려는 자음+ㅣ+으+이름 붙이려는 자음'이라는 방식이에요. 자음 대부분은 이런 방식으로 이름을 붙여요. 그런데 'ㅅ'은 중간에 '으' 대신에 '오'가 들어가 있어서 방식이 달라요.
5. 위에서 본 표를 보고 확인할 수 있어요. 이 순서는 외어두는 것이 한글 공부하는 데 도움이 됩니다.
6. '길'만 받침 'ㄹ'을 가지고 있어요.
7. 글을 다시 읽어 보고 빈칸에 들어갈 낱말을 채워 보세요.

어휘력 키우기

다지기 (1) 교실에서 우리는 번호 순서로 줄을 많이 서요.
(2) 풍선이 바늘에 어떻게 하면 터질까요? 아마 풍선에 닿았을 거예요.
(3) 어두우면 얼굴을 잘 알아볼 수 없지요.

넓히기 (1) [남니다]로 소리나지만 '납니다'라고 써야하겠죠?
(2) '위쪽'이라고 써야 해요.

07 돈이 뭐예요?

본문 36쪽

1 ① 2 돈 3 ② 4 ④
5 ③ 6 ⑤ 7 ① 물물 교환, ② 동전

어휘력 키우기

뜻 (1) ㉢ (2) ㉡ (3) ㉠
다지기 (1) 등장했다 (2) 상한다 (3) 맞바꿨다
넓히기 (1) 맞바꾸어 (2) 없잖아요

1. 글의 처음부터 끝까지 순서대로 읽어 보아요. 돈을 만든 까닭에 초점을 맞추어 놓고, 돈의 필요성, 돈의 종류들도 덧붙여 설명하고 있어요.

2. 아직 글감 찾기가 잘되지 않으면, 처음부터 끝까지 읽으면서 같은 낱말이 나오면 밑줄을 그어가면서 가장 자주 나타나는 낱말을 찾아 보세요.

3. 두 번째 문단에서 먼 옛날에 돈이 없었을 때 물건과 물건을 직접 맞바꾸는 물물 교환을 했다고 나와 있어요.

4. 어떤 내용으로 이어졌는지 눈여겨보아야 해요. '예를 들면'으로 이어졌기 때문에 예를 든 내용과 어울리는 말이어야 하겠지요. 예를 든 내용을 보니, 나는 돼지 한 마리와 쌀 두 가마를 바꾸고 싶은데 상대방은 돼지 반 마리를 쌀 한가마니와 바꾸고 싶어하죠. 서로 바꾸고 싶은 품목이 같아도, 양이 다를 수 있다고 설명하고 있어요. 필요한 양이 다른 것이니까 ④가 ㉠에 가장 적당하네요.

5. 본문 네 번째 줄부터 다시 읽어봅시다. 돈은 곳곳을 돌고 돌며 사람 사이를 서로 이어준다고 하네요.

6. 글의 끝에 나오네요. 가장 최근에 나타난 신용 카드 덕분에 동전이나 지폐를 들고 다닐 필요가 없어졌어요.

7. 글을 다시 읽어 보고 돈의 변화 모습에 대한 낱말을 찾아 빈칸을 채워 보세요.

어휘력 키우기

다지기 (1) 새로운 상품이 백화점에 나왔다고 해야겠죠? 보기 중에서 '등장했다'가 어울리겠네요.
(2) 생선은 온도가 높으면 잘 상해요.
(3) 친구와 자리를 서로 바꾸었다는 뜻이니까 보기 중 '맞바꿨다'가 어울릴 거 같아요.

넓히기 (1) '맞바꾸다'에서 온 말입니다.
(2) '없잖아요'라고 써야 합니다. '없'에 있는 겹받침 'ㅂㅅ'을 기억하세요.

08 바다에 사는 동물

본문 40쪽

1 ② 2 바다 3 ⑤ 4 ④
5 ② 6 ①
7 ① 가자미, ② 오징어, ③ 가시복, ④ 해삼

어휘력 키우기

뜻 (1) ㉡ (2) ㉠ (3) ㉢
다지기 (1) 뾰족뾰족 (2) 순식간에 (3) 감쪽같이
넓히기 (1) 찢고 (2) 대신

1. 읽은 내용 전부를 담고 있는 것을 골라야 해요. 본문 내용과 비교했을 때, ①번에 해당하는 것은 가자미뿐이에요. 바다에는 가자미, 가오리, 아기 오징어, 가시복, 불가사리, 해삼 등 다양한 동물들이 여러 모습으로 살고 있네요.

2. 어디에 사는 동물들을 글에서 다루었는지 떠올려 보세요.

3. 글에 나온 순서대로 짚어 가면 정답을 찾을 수 있어요.

4. 가시복의 온몸이 뾰족뾰족 가시 옷으로 변했다고 나오네요.

5. '시간을 오래 끌지 않고 곧바로'라는 뜻의 낱말은 '얼른'이지요. 글에서 '해삼은 국수처럼 생긴 것을 토하고는 얼른 달아나요.'라고 나오네요.

6. 몸 색깔을 바꿔서 적을 피하는 동물은 가자미예요.

7. 문단별로 나온 바다 동물이 달라요. 바다 동물이 살아가는 모습을 다시 살펴보고 빈칸을 채워 보세요.

어휘력 키우기

다지기 (1) 스테고사우루스의 등은 뾰족뾰족해요.
(2) 배가 고픈 친구는 아주 짧은 동안에 급식을 먹어 치우겠죠? 보기 중 '순식간에'가 어울리네요.
(3) 꾸민 것이 전혀 티가 나지 않게 속였다는 뜻이겠죠? 보기 중 '감쪽같이'가 어울리네요.

넓히기 (1) '찢다'에서 나온 말이에요. '찢고'라고 써야 해요.
(2) '대신'이라고 써야 해요.

09 야, 우리 기차에서 내려!

본문 44쪽

1 ⑤　2 기차　3 ③　4 ③
5 ①　6 ④　7 ① 상아, ② 물고기, ③ 두루미

어휘력 키우기

뜻 (1) ㉠　(2) ㉢　(3) ㉡
다지기 (1) 제발　(2) 자꾸　(3) 빨리
넓히기 (1) 구겨져　(2) 이제

1. 거듭해서 일어난 일은 세 가지예요. "아이가 세 동물을 만났다. 아이가 동물들을 기차에서 내리라고 했다. 동물들이 아이에게 기차에 태워달라고 애원했다." 왜 동물들이 기차에 태워달라고 했나요? 코끼리는 사람들이 상아를 잘라간다고 했고, 물개는 사람들이 물을 더럽히고 물고기를 다 잡아가서 먹을 게 없다고 했어요. 두루미는 사람들이 늪의 물을 다 퍼버려서 살 수가 없다고 했죠.
2. 이 말을 이야기에서 여러번 반복했어요. 빈칸에 들어갈 말을 찾아보세요.
3. 사람들이 바다의 물고기를 다 잡아가서 물개가 더 이상 먹을 것이 없다고 했어요.
4. 사람들이 물을 다 퍼버렸기 때문에 늪이 마른땅이 되었다고 했어요.
5. '빨리'와 바꾸어 쓸 수 있는 말은 '어서'예요. 학교에 늦지 않도록 지금 바로 일어나라고 한 것이지요.
6. 사람들을 위해서만 행동할 것이 아니라 동물들도 함께 살아갈 수 있도록 노력해달라고 말하고 싶을 거예요.
7. 동물들이 살아가기 어렵게 된 이유를 찾아 빈칸을 채워 보세요.

어휘력 키우기

다지기 (1) 우리는 소풍날에 비가 오지 않기를 간절히 바라지요. 보기 중 '제발'이 어울리네요.
(2) 늦게 자면 잠이 부족해서 눈이 '자꾸' 감길 거예요.
(3) 숙제를 '걸리는 시간이 짧게' 끝내면 놀 시간이 많이 생길 거예요. 보기 중 '빨리'가 어울리네요.

넓히기 (1) '구겨지어'가 줄었으므로 '구겨져'로 써야 해요.
(2) '이제'라고 써야 해요.

10 동동 아기 오리

본문 48쪽

1 ⑤　2 아기 오리　3 ①　4 ③
5 ②　6 ③　7 ① 동동, ② 아기 오리

어휘력 키우기

뜻 (1) ㉢　(2) ㉡　(3) ㉠
다지기 (1) 퐁당　(2) 동동　(3) 따라
넓히기 (1) 못물　(2) 따라

1. 시를 읽으니까 엄마 오리의 행동을 따라하면서 노는 아기 오리가 그려지지 않나요. 아기 오리는 계속해서 엄마 오리를 따라 하고 있지요.
2. 엄마 오리를 계속 따라 하는 아기 오리에 대해 초점을 맞췄어요.
3. 엄마 오리와 아기 오리는 못물 위에 떠 있다가 못물 속으로 들어갔어요.
4. '엄마 따라'라는 말이 두 번 나와요.
5. 네 묶음으로 되어 있는 시에서 각각의 묶음은 모두 두 줄씩으로 되어 있어요. 한 줄을 차지하는 글자 수가 6자로 모두 같지요.
6. '철렁'은 물이 큰 물결을 이루며 거세게 흔들리는 소리를 나타내는 말이고, '찰랑'은 물이 작은 물결을 이루며 가볍게 흔들리는 소리를 나타내는 말이에요.
7. 시를 다시 살펴보며 빈칸에 들어갈 낱말을 찾아보세요.

어휘력 키우기

다지기 (1) 반지가 물에 빠지는 모습을 꾸며 주는 말로 어울리는 말은 보기 중 '퐁당'이겠네요.
(2) 고깃국 위의 기름은 작아요. 이렇게 작은 물체가 떠서 움직이는 모양을 나타내는 말은 '동동'이에요.
(3) 아이들이 선생님이 하는 대로 되풀이해서 행동했다는 뜻이 들어가야 해요. 보기 중 빈칸에 들어갈 말은 '따라'예요.

넓히기 (1) [몬물]로 소리나지만 '못물'로 써야 해요.
(2) '따르다'에서 나온 말이에요. '따라'라고 써야 해요.

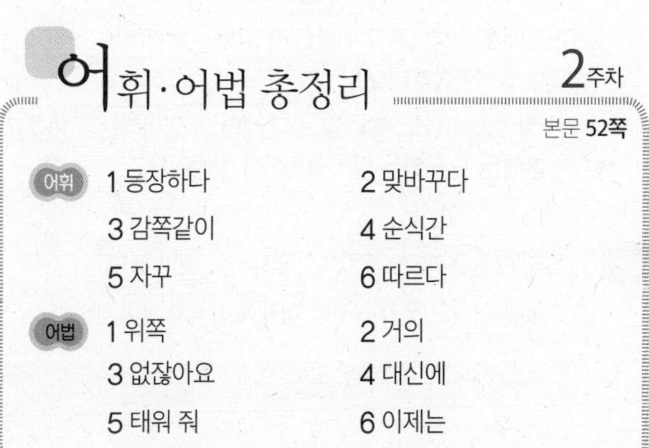

어휘·어법 총정리 2주차

본문 52쪽

어휘 1 등장하다　2 맞바꾸다
3 감쪽같이　4 순식간
5 자꾸　6 따르다

어법 1 위쪽　2 거의
3 없잖아요　4 대신에
5 태워 줘　6 이제는

3주차

11 다 함께 아야어여

본문 54쪽

1 ③ 2 모음 3 ② 4 ⑤
5 ① 6 ⑤ 7 ① 공기, ② 홑소리, ③ 오른쪽

어휘력 키우기

뜻 (1) ㉠ (2) ㉡ (3) ㉢
다지기 (1) 거쳐 (2) 불러 (3) 모두
넓히기 (1) 닿지 (2) 아래쪽

1. 글자가 놓이는 순서에 따라 모음의 글자 모양과 이름을 설명하였지요. '순서에 따라 글자의 모양과 이름을 알아보자'고 했어요.

2. 모음이 글에 4번이나 나오네요.

3. 글의 둘째 문장에 자음의 또 다른 이름이 나오네요.

4. 발음해 보면, 'ㅣ'는 처음도 끝도 'ㅣ'로만 소리 납니다.
① 처음에는 '이', 나중에는 '아'.
② 처음에는 '이', 나중에는 '어'.
③ 처음에는 '이', 나중에는 '오'.
④ 처음에는 '이', 나중에는 '우'네요.

5. 표를 보면, 모음의 처음은 'ㅏ'이고, 끝은 'ㅣ'이지요.

6. 글에서 소개한 표를 보고, 표에 없는 글자를 고르면 됩니다.

7. 글을 다시 살펴보고 모음의 여러 특징에 대해 생각하면서 빈칸을 채워 보세요.

어휘력 키우기

다지기 (1) 태풍이 다른 나라를 지나서 우리나라에도 불어왔다는 뜻이에요. 빈칸에는 '거쳐'라는 말이 들어가야 해요.
(2) 친구에게 멋쟁이라고 이름을 붙였어요. 빈칸에는 '불러'라는 말이 들어가야겠네요.
(3) 반 학생을 하나도 빼지 않고 다 세면 20명이라는 뜻이에요. 빈칸에는 '모두'라는 말이 들어가야겠네요.

넓히기 (1) '닿다'라는 말에서 나왔어요. '닿지'라고 써야 해요.
(2) '아랫쪽'이라고 쓰기 쉽지만 '아래쪽'이라고 써야 해요.

12 가족

본문 58쪽

1 ④ 2 가족 3 ② 4 ①
5 ② 6 ① 7 ① 설, ② 뜻, ③ 일

어휘력 키우기

뜻 (1) ㉠ (2) ㉡ (3) ㉢
다지기 (1) 한자리 (2) 테두리 (3) 뜻하는
넓히기 (1) 맺어진 (2) 테두리

1. 가족이 어떤 뜻을 지니는지 설명하고, 가족을 이루는 사람 각자가 어떤 역할을 했는지 설명하고 있는 글이에요.

2. 역시 '가족'이라는 낱말이 가장 자주 나타나서 글감이 되고 있네요.

3. 글의 첫 문장부터 세 번째 문장까지 다시 읽어보세요. 이모는 엄마의 자매입니다.

4. 글에서 '엄마는 집안의 살림을 도맡았어요.'라고 했죠. 옛날에는 집안 청소나 설거지는 엄마가 혼자 맡아 했어요. 오늘날에는 아빠가 집안 청소도 잘한답니다.

5. 옛날에 했던 가족 각자의 일이 요즘에는 달라졌다는 내용이에요. 앞의 내용과 다른 뒤의 내용을 이끌 때 쓸 수 있는 낱말은 '그런데'예요.

6. 친구는 결혼이나 핏줄로 맺어진 사람이 아니지요.

7. 글을 다시 읽고 문단마다 가족에 대해 말하고 있는 것을 찾아 빈칸을 채워 보세요.

어휘력 키우기

다지기 (1) '함께 어울리는 자리'라는 뜻을 가진 낱말은 '한자리'입니다.
(2) '범위'라는 뜻으로 쓰인 말은 보기 중 '테두리'입니다.
(3) 상록수는 잎이 언제나 푸른 나무를 가리켜 나타내는 말입니다. 빈칸에 어울리는 말은 '뜻하는'이네요.

넓히기 (1) [매저진]으로 소리나지만 '맺다'에서 온 말이므로 '맺어진'으로 써야 해요.
(2) '테두리'로 써야 해요.

13 식물 이름 짓기

본문 62쪽

1 ④　2 식물 이름　3 ⑤　4 ①
5 ②　6 시계　7 ① 할미꽃, ② 쓰임새

어휘력 키우기

뜻 (1) ㉡　(2) ㉠　(3) ㉢
다지기 (1) 윤　(2) 마치　(3) 돋는
넓히기 (1) 많은　(2) 하얗게

1. 식물들의 이름이 어떻게 지어졌는지 설명하고 있는 글이에요. 떠올릴 수 있는 물음은 '식물의 이름이 어떻게 지어졌을까?'이겠지요.

2. '식물 이름'이 글에서 가장 자주 나온 말이지요. 이 말을 넣어서 제목을 붙일 수 있어요.

3. '옛날에 쓰던 참빗의 재료가 되었던 나무'라고 설명한 데서 쓰임새에 따라 '참빗살나무'라는 이름이 생겼겠네요.

4. 신갈나무의 '신갈'은 말 그대로 '신을 갈다'에서 나온 거예요.

5. 괄호 앞에 내용이 신갈나무라는 이름이 붙은 원인이에요. 옛날에 나무꾼들이 산속에서 신고 가던 짚신이 떨어지면 신갈나무의 잎을 깔았기 때문에 신갈나무라는 이름이 붙은 것이지요. 그러니까 괄호 안에 들어갈 낱말은 '그래서'네요.

6. 생김새를 따서 이름을 붙였다고 해요. 정말 시계꽃은 시계와 생김새가 닮았네요.

7. 글의 첫 문장에서 식물은 주로 생김새, 쓰임새, 특징에 따라 이름을 붙인다고 했어요. 생김새를 따서 이름 지은 식물을 찾아 빈칸을 채워 보세요. 그리고 참빗살나무, 옻나무, 신갈나무가 식물의 무엇에 따라 이름 붙여진 것인지 생각해 보세요.

어휘력 키우기

다지기 (1) 반질반질하고 매끈매끈하게 닦았다는 뜻으로 '윤'이 나게 닦았다고 해요.
(2) 반장은 선생님이 아닌데 거의 비슷하게 선생님인 것처럼 말했네요. 빈칸에 어울리는 말은 '마치'예요.
(3) 봄이 되면 새싹들이 돋아나요. 빈칸에 어울리는 말은 '돋는'이에요.

넓히기 (1) '많다'에서 나온 말이에요. '많은'이라고 써야 해요.
(2) '하얗다'라는 말에서 나왔어요. '하얗게'라고 쓰고, 이때 'ㅎ'받침을 잊지 않아야 해요.

14 황소 아저씨

본문 66쪽

1 ⑤　2 황소 아저씨　3 ②
4 ④　5 ①　6 ①
7 ① 생쥐, ② 황소, ③ 식구

어휘력 키우기

뜻 (1) ㉡　(2) ㉠　(3) ㉢
다지기 (1) 굵다란　(2) 실컷　(3) 갑자기
넓히기 (1) 숨바꼭질　(2) 넘었어요

1. 가슴 찡하게 하는 감동이 무엇인지 물었네요. 황소 아저씨와 생쥐들이 함께 어울려 사는 모습이 가슴을 찡하게 하며 와닿는 내용이지요.

2. 작은 동물들을 도와주고 마음씨 좋은 동물을 찾아보세요.

3. 황소 아저씨에게 도움을 받은 동물은 생쥐예요.

4. 생쥐를 너그럽게 받아들이고 도와주기도 하네요. 마음이 넓다고 할 수 있겠어요.

5. 이 말 뒤에 '동생들이 기다릴 테니 내 등 타 넘고 빨리 가거라.'라고 했어요. 지금 당장, 서둘러 가져가란 뜻이지요. ㉠과 뜻이 같아 바꾸어 쓸 수 있는 말을 찾아보면 '어서'예요.

6. 도움을 받았을 때 하는 인사말을 찾아보세요.

7. 이야기의 주인공으로 나오는 동물들의 이름과 이들이 나중에 어떤 사이가 되었는지 찾아 빈칸을 채워 보세요.

어휘력 키우기

다지기 (1) 감자를 꾸며 줄 수 있는 낱말은 보기 중 '굵다란'이네요.
(2) 생일에 케이크를 마음껏 먹었다.
(3) '소나기'는 비 중에서도 '갑자기 세차게 쏟아지다가 곧 그치는 비'에요. 빈칸에는 '갑자기'가 어울리겠어요.

넓히기 (1) '숨바꼭질'입니다.
(2) '넘다'에서 나온 말로, '넘었어요'라고 써야 해요.

15 그만뒀다

본문 70쪽

1 ④ 2 그만뒀다 3 ③ 4 ③
5 ③ 6 그만뒀다
7 ① 강아지, ② 그만뒀다, ③ 고양이, ④ 그만뒀다

어휘력 키우기

뜻 (1) ㉢ (2) ㉡ (3) ㉠
다지기 (1) 살래살래 (2) 그만뒀다 (3) 쫑긋쫑긋
넓히기 (1) 물어 (2) 그만뒀다

1. 시의 네 묶음 중 두 묶음씩 짝을 지어 내용을 정리해 보세요. 잘못을 저지른 강아지와 고양이를 벌주려다가 그만뒀다고 하여 말하는 사람의 생각을 드러내고 있지요.
2. 첫 번째 묶음과 세 번째 묶음, 즉 1연과 3연에 꼭 같은 모양으로 두 번 나와요. 용서해 주었다는 뜻이 담겨 있는 말이에요.
3. 시의 첫 번째 묶음, 즉 1연에 나오네요.
4. 강아지를 혼내려다 살래살래 흔드는 꼬리를 보고 "귀여워서" 그만 뒀겠죠. 고양이게게 꿀밤을 먹이려다 쫑긋 세운 귀때문에 그만뒀다고 해요. 고양이가 귀를 쫑긋 세운 모습이 귀여워서 그랬겠죠.
5. 시에서 '살래살래 흔드는 고 꼬리 땜에……'라고 나와요. 몸의 한 부분인 꼬리를 가볍게 자꾸 흔드는 모양을 떠올릴 수 있지요. ⑤의 쫑긋쫑긋은 입이나 귀를 빳빳하게 세우거나 뾰족이 내미는 모양을 뜻해요.
6. 동생을 혼내주려다 귀여운 눈때문에 그럴 수 없었다고 했어요.
7. 시에서 말썽을 부린 두 동물과 그 동물을 혼내 주려다가 결국 어떻게 했는지를 찾아 빈칸을 채워 보세요.

어휘력 키우기

다지기 (1) 고개를 젓는 모양을 흉내 낸 말은 보기 중 '살래살래'예요.
(2) 날씨가 너무 추우면 밖으로 나가려는 걸 그만두게 되지요.
(3) 귀를 세우는 모양을 흉내 낸 말은 보기 중 '쫑긋쫑긋'이에요.

넓히기 (1) '묻다'에서 나온 말로, '물어'라고 써야 합니다. '물어'를 소리 나는 대로 쓰면 [무러]예요.
(2) '그만두다'에서 나온 말로, '그만뒀다'라고 써야 합니다.

어휘·어법 총정리 3주차

본문 74쪽

어휘	1 모두	2 건강하다
	3 윤	4 갑자기
	5 실컷	6 그만두다
어법	1 닳지	2 강하게
	3 하얗게	4 찾아
	5 넘었어요	6 그만뒀다

4주차

16 바른 자세로 읽고 쓰기

본문 76쪽

1 ④ 2 읽기, 쓰기 3 ② 4 ⑤
5 ② 6 ㉢ 7 ① 자세, ② 방법

어휘력 키우기

뜻 (1) ㉡ (2) ㉠ (3) ㉢
다지기 (1) 새겨 (2) 분명하게 (3) 피곤해서
넓히기 (1) 꼿꼿이 (2) 읽는

1. 글쓴이가 강조한 내용은 2문단과 3문단에 실려 있어요. 2문단은 읽기의 바른 자세를 중심 내용으로 삼았어요. 3문단은 쓰기의 좋은 방법이 중심 내용인데, 이것도 쓰기의 바른 방법으로 볼 수 있어요.

2. 국어 공부의 네 가지는 말하기, 듣기, 읽기, 쓰기예요. 그 중 읽기와 쓰기에 대해 말하고 있어요.

3. 2문단에서 읽기의 바른 자세에 대해 나오네요. 등뼈는 구부리는 것이 아니라 꼿꼿이 하고 앉아야 하지요.

4. '무엇을, 어떻게, 왜' 중에서 '어떤 방법으로 쓰겠다'라고 떠올린 것이므로 빈칸에 들어갈 말은 '어떻게'가 되겠네요.

5. '한 가지 일에 모든 힘을 쏟아붓다'라는 뜻의 낱말은 '집중하다'입니다. 글에서는 '집중하여 읽어서 글의 뜻을 새길 수 있어야 읽은 보람을 얻을 수 있기 때문입니다.'라고 나오네요.

6. ㉠은 '무엇', ㉡은 '어떻게', ㉢은 '왜'에 대해 생각한 것입니다.

7. 1문단에서 '바른 자세와 방법으로 읽고 써야 글의 뜻을 잘 새길 수 있고, 생각이나 느낌을 잘 옮겨놓을 수 있습니다.'라고 했어요. 차례로 2문단은 읽기의 바른 자세, 3문단은 글쓰기의 바른 방법에 대해 나와 있네요.

어휘력 키우기

다지기 (1) 친구의 말을 마음에 깊이 기억했다는 뜻이 어울려요. 보기 중 빈칸에 어울리는 말은 '새겨'네요.
(2) 글씨는 누구라도 잘 알아볼 수 있게 '분명하게' 써야 하지요.
(3) 너무 피곤하면 이불 밖으로 나오는 것도 힘들어져요. 빈칸에 알맞은 말은 '피곤해서'네요.

넓히기 (1) '꼿꼿이'처럼 시옷 받침을 정확하게 적어야 해요.
(2) '읽다'에서 온 낱말이기 때문에 '읽는'이라고 적어야 합니다.

17 돌잡이

본문 80쪽

1 ⑤ 2 돌잡이 3 ⑤ 4 ④
5 ① 6 ③
7 ① 돌잡이, ② 오래, ③ 공부, ④ 부자

어휘력 키우기

뜻 (1) ㉠ (2) ㉢ (3) ㉡
다지기 (1) 바란다 (2) 올려놓았다 (3) 행복하다
넓히기 (1) 했습니다 (2) 것

1. 이 글에서는 돌잔치에 하는 돌잡이에 대해 설명하고 있어요. 돌잡이의 뜻과 돌잡이 상에 올리는 물건들, 그 의미에 대한 글이에요.

2. 돌잔치보다 더 중요하게 다뤄지는 말이 돌잡이에요.

3. 2문단에서 쌀, 떡, 책, 붓, 돈, 활, 실 등을 올린다고 했어요. 북은 아니에요.

4. 글의 마지막 문장에 '우리 조상들은 돌잔치를 하면서 아기가 건강하고 행복하게 자라기를 바랐습니다.'라고 나오네요.

5. 실을 잡을 때, 책을 잡을 때, 그리고 쌀을 잡는 때가 나오네요. 앞의 내용에 다른 내용을 더할 때 쓰는 말이 '또'예요.

6. 열쇠와 건강이 잘 어울리는지 생각해 보세요. 오늘날 열쇠를 잡는 아이는 부자가 될 것을 뜻한다고 해요.

7. 글을 다시 읽고 돌잡이와 돌잡이 물건의 의미를 찾아 빈칸을 채워 보세요.

어휘력 키우기

다지기 (1) 동생이 감기에 걸리면 빨리 낫기를 기대하죠.
(2) 모기약은 동생 손이 닿지 않는 곳에 두어야 안전해요. 빈칸에 알맞은 말은 보기 중 '올려놓았다'네요.
(3) 나는 학교생활이 즐겁고 흐뭇하다는 뜻이예요.

넓히기 (1) '했습니다'라고 써야 해요.
(2) '먹을 것', '마실 것'처럼 '될 것'이라고 써야 합니다.

18 시계 보기

본문 84쪽

1 ③ 2 시계 3 ⑤ 4 ①
5 ④ 6 ② 7 ① 시, ② 분, ③ 초

어휘력 키우기

뜻 (1) ㉡ (2) ㉢ (3) ㉠
다지기 (1) 짧다 (2) 가리켰다 (3) 길다
넓히기 (1) 몇 (2) 짧아

1. 시계의 시침, 분침, 초침이 어떤 숫자에 놓여 있는지를 보고 몇 시, 몇 분, 몇 초인지 읽어내는 방법을 설명하고 있어요.

2. 글을 읽어 보기만 하면 그 이름을 금방 찾을 수 있을 거예요.

3. 낱말의 뜻을 새겨보세요. 소리는 보는 것이 아니라 듣는 것이지요. ① 1부터 12까지의 숫자가 있지요. ② 짧은 바늘 ③ 긴 바늘 ④ 시침, 분침보다 빨리 지나가는 바늘

4. 시계 판을 보고 다시 확인해보세요. 가장 작은 수는 1이고, 가장 큰 수는 12이네요.

5. 잘 떠오르지 않으면, 둘째 문단을 다시 읽어 보세요. 숫자마다 5분이므로 숫자 9에 있으면 45분이네요.

6. 2시 30분은 2시와 3시의 사이에 있어요. 따라서 2시 30분일 때 시침은 2와 3 사이에 있어요.

7. 문단마다 시계의 시, 분, 초에 대해 말하고 있어요.

어휘력 키우기

다지기 (1) 연필을 오래 쓰면 자꾸 깎으니까 길이가 짧아져요.
(2) 손가락으로 할 수 있는 일 중에 골라 보세요.
(3) 토끼는 대부분 귀가 길지요.

넓히기 (1) [멷]으로 발음이 되지만 '몇'이라 써야 해요. 몇은 '그리 많지 않은 얼마만큼의 수'를 뜻해요. 앞에서 배운 '몇 시', '몇 초'처럼 '몇 분'이라고 써야 해요.
(2) '짧다'에서 온 말이니 '짧아'가 맞아요. 받침을 잘 익혀두어요.

19 개미와 베짱이

본문 88쪽

1 ⑤ 2 개미, 베짱이 3 ①
4 ② 5 ③ 6 ⑤
7 ① 개미, ② 베짱이, ③ 겨울, ④ 일, ⑤ 먹을거리

어휘력 키우기

뜻 (1) ㉡ (2) ㉢ (3) ㉠
다지기 (1) 쌩쌩 (2) 뻘뻘 (3) 벌벌
넓히기 (1) 좋았을까 (2) 먹을거리

1. 읽은 뒤에 떠오른 이야기의 줄거리를 두고 생각해 보세요. 놀기만 하고 겨울 준비를 하지 않았던 베짱이. 겨울이 되어 먹지도 못하고 추위에 떨면서 개미의 집을 찾아 구걸하는 모습. 이런 줄거리에서 어려울 때를 미리 준비해 두어야 한다는 가르침을 얻을 수 있지요.
2. 이야기에는 두 동물이 나와요. 베짱이의 '베' 자에 주의하세요.
3. 베짱이가 노는 동안 개미는 추운 겨울에 필요한 먹을거리를 모으려고 열심히 일했지요.
4. 열심히 겨울을 위해 준비하는 개미는 부지런하다고 할 수 있어요. 하지만 노래 부르며 놀기만 하는 베짱이는 게으르다고 할 수 있지요.
5. 개미가 베짱이에게 '같이 일하자.'라고 한 것은 함께 일을 해서 겨울을 준비하자는 뜻이었어요.
6. 겨울을 준비하지 않고 노래하며 놀기만 하는 베짱이는 맡은 일, 해야 할 일은 하지 않고 놀기만 하는 친구와 비슷해 보이네요.
7. 이야기를 다시 읽고, 주인공과 주인공 사이에 일어난 일들을 찾아 빈칸을 채워 보세요.

어휘력 키우기

다지기 (1) 바람이 세게 부는 소리를 흉내 낸 말은 '쌩쌩'이에요.
(2) 땀을 흘리는 모습을 흉내 낸 말은 '뻘뻘'이에요.
(3) 추워서 몸이 떨리는 모습을 흉내 낸 말은 '벌벌'이에요.

넓히기 (1) '좋다'라는 말에서 나왔어요. 'ㅎ'받침을 꼭 써 줘야 해요.
(2) '먹을거리'로 써야 해요.

20 도토리

본문 92쪽

1 ① 2 도토리 3 ① 4 ③
5 ② 6 ① 7 ① 도토리, ② 다람쥐

어휘력 키우기

뜻 (1) ㉠ (2) ㉢ (3) ㉡
다지기 (1) 한눈팔며 (2) 물든 (3) 때굴때굴
넓히기 (1) 왔니 (2) 때

1. 꼭 같이 두 번 나타난 모습. 도토리가 때굴때굴 귀엽게 굴러가는 재미있는 모습을 떠올리게 되죠.
2. 두 번 나온 낱말은 도토리예요.
3. '때굴때굴 도토리 어디서 왔나?'가 두 번 나오네요. 그리고 흉내 내는 말인지 아닌지는 그 낱말을 소리 내어 읽어 보면 알 수 있어요. 굴러가는 도토리를 꾸며 주는 말이 때굴때굴이에요.
4. 계절을 떠올리게 하는 말을 찾으세요. '단풍잎 곱게 물든'이라고 했으니 가을이죠.
5. 네 묶음이 모두 두 줄씩으로 되어 있어요.
6. 때굴때굴 말고도 도토리와 잘 어울리는 말은 무엇일까요? 도토리의 모양을 생각해 보세요. 동글동글하지요.
7. 이 시에서 중요하게 나오는 낱말들을 찾아 빈칸을 채워 보세요.

어휘력 키우기

다지기 (1) 다른 데를 보다가 돌부리에 걸렸네요. 빈칸에 들어갈 말은 '한눈팔며'가 되겠어요.
(2) 은행잎이 노랗게 물들었다는 내용이네요.
(2) 알밤처럼 작고, 둥근 물건이 굴러가는 모양을 흉내 낸 말은 보기 중 '때굴때굴'이에요.

넓히기 (1) '왔다'에서 온 말이므로 '왔니'로 써야 해요.
(2) 시간을 나타내는 '때'입니다.

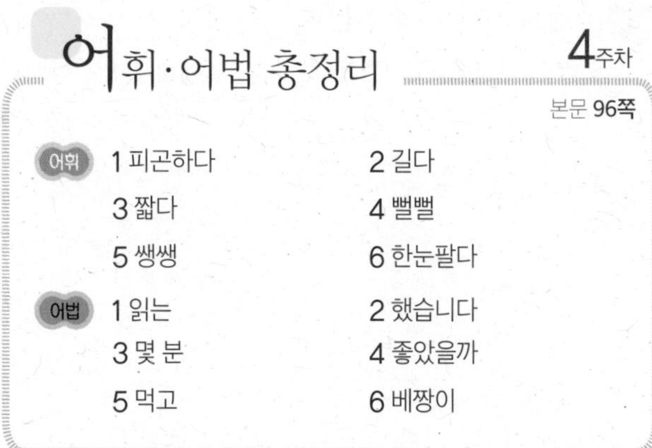

어휘·어법 총정리 4주차

본문 96쪽

어휘 1 피곤하다 2 길다
3 짧다 4 뻘뻘
5 쌩쌩 6 한눈팔다

어법 1 읽는 2 했습니다
3 몇 분 4 좋았을까
5 먹고 6 베짱이

5주차

21 아름다운 우리말

본문 98쪽

1 ⑤ 2 잠 3 ① 4 ③
5 ⑤ 6 개 7 ① 나비잠, ② 새우, ③ 노루잠

어휘력 키우기

뜻 (1) ㉢ (2) ㉡ (3) ㉠
다지기 (1) 빗대어 (2) 예민하다 (3) 갓난아이
넓히기 (1) 깊이 (2) 옆으로

1. 우선 중심 내용이 나오는 자리를 정확히 찾아야 합니다. 이 글에서는 첫 문장에 중심 내용이 실려 있지요.

2. 제목이나 글감은 글에서 가장 많이 나온 낱말을 써서 만들 수 있어요.

3. 2문단 첫 문장에 나오네요.

4. 글에서 '깊이 들지 못하고 자꾸 놀라 깨는 잠을 노루잠이라고 합니다.'라고 나오네요. 노루나 고양이처럼 작은 소리에도 예민하면 자주 깨겠지요.

5. 나머지는 동물 이름에 빗대었지만, 꽃은 동물이 아니라 식물이지요. '꽃잠'은 깊이 든 잠이라는 뜻이에요.

6. 우리말에 참 재미있는 잠 이름이 많지요. '개잠'은 '개'에서 따온 잠 이름이에요.

7. 글에서 여러 가지 잠 이름에 대한 설명을 다시 살펴보고 빈칸을 채워 보세요.

어휘력 키우기

다지기 (1) 수수께끼의 뜻과 어울리는 말은 보기 중 '빗대어'예요. 바로 말하지 않고 빙 둘러서 말하니까요.
(2) 개는 후각이 발달해서 냄새에 예민하지요.
(3) 갓난아이가 엄마 품에 안겼다는 내용이 어울리지요.

넓히기 (1) '깊이'를 소리 나는 대로 쓰면 [기피]예요.
(2) '옆으로'를 소리 나는 대로 쓰면 [여프로]예요.

22 건강과 목욕

본문 102쪽

1 ① 2 목욕 3 ① 4 ⑤
5 ③ 6 ④ 7 ① 로마, ② 치료, ③ 건강

어휘력 키우기

뜻 (1) ㉡ (2) ㉠ (3) ㉢
다지기 (1) 마련되어 (2) 북적여서 (3) 뒤집어쓰며
넓히기 (1) 낫게 (2) 많은

1. 글의 앞부분에선 로마의 대중목욕탕 이야기를 했어요. 그렇지만 로마 사람들이 이렇게 목욕탕을 크게 만든 것은 목욕이 건강에 좋기 때문이었어요. 글의 뒷부분에는 목욕이 건강에 좋은 이유를 설명했어요.

2. 글의 시작에서 끝까지 가장 여러 번 나타난 낱말은 생각해 보세요.

3. 로마의 대중목욕탕에는 사우나, 정원, 도서관, 운동 시설까지 있었어요. 하지만 학교는 없었어요.

4. 2문단에서 병을 치료해주는 신을 모셨던 신전에 목욕탕이 있었고 목욕탕이 병을 치료해주는 것이었기 때문에 목욕탕이 신전에서 가장 중요한 곳이었다고 말했어요.

5. 괄호 앞은 우리 몸에 죽은 피부 세포, 먼지, 더러운 것이 쌓인다는 내용이네요. 괄호 뒤는 목욕을 하면 우리 몸이 깨끗해져서 병균이 자랄 만한 자리가 없다는 내용이에요. 앞의 내용과 뒤의 내용이 다를 때 이어주는 말은 '하지만'입니다.

6. 글에 나온 내용을 바탕으로 하여 찾아야 해요. '더운물은 근육을 쉬게 하고 혈관을 늘어나게 해서, 피가 몸을 잘 돌 수 있게 해 주지요.'라는 내용을 보면 알 수 있어요.

7. 글을 다시 읽고, 문단에서 중요한 낱말을 찾아 빈칸을 채워 보세요.

어휘력 키우기

다지기 (1) 놀이터가 준비되어 있다는 뜻이에요. 보기 중 '마련되어'가 어울리네요.
(2) 행사장에 사람들이 너무 많아 정신이 없다는 뜻으로, 빈칸에 '북적여서'가 어울려요.
(3) 먼지, 대청소와 어울리는 낱말은 보기 중 '뒤집어쓰며'예요.

넓히기 (1) '낫다'에서 나왔으니까 '낫게'라고 해야 해요. '낳게'는 '낳다'에서 온 말이고 '낳다'는 '새끼를 낳다'의경우에 쓰이는 말이에요.
(2) [마는]으로 소리나지만 '많은'으로 써야 해요.

23 물 오염을 막자

본문 106쪽

1 ③ 2 물 3 ⑤ 4 ⑤
5 깨끗한 6 ⑤ 7 ① 힘, ② 까닭, ③ 방법

어휘력 키우기

뜻 (1) ㉡ (2) ㉠ (3) ㉢
다지기 (1) 해롭다 (2) 저절로 (3) 함부로
넓히기 (1) 까닭 (2) 골짜기

1. 물이 더러워지면 어떻게 되는지, 왜 더러워지는지, 더러워지는 것을 줄이려면 어떻게 해야 하는지 등을 알려주고 있어요. 이런 사실을 알려주어서 물이 더러워지지 않도록 하자는 주장을 한 것이죠.

2. 글에서 가장 자주 나온 낱말은 '물'이죠.

3. 비는 물을 더럽히지 않아요. 오히려 물의 양을 많게 하여 물이 스스로 깨끗해지는 데에 도움이 되어요.

4. 글을 읽어 보면 한번 더러워진 물을 다시 깨끗하게 하려면 엄청난 양의 물과 오랜 시간이 필요하다는 것을 알 수 있어요.
   ① 물을 더럽히는 것은 사람들이에요.
   ② 물은 스스로 깨끗해지려는 힘이 있어요.
   ③ 골짜기나 강, 바다도 더러워질 수 있어요.
   ④ 한 번 사용한 물도 함부로 버리지 않고 다시 사용해야 하죠. '지키기 2'에 나와요.

5. '깨끗하다'라는 말이 글에 많이 나왔어요. '깨끗한'을 소리 나는 대로 쓰면 [깨끄탄]이에요.

6. 미경은 '지키기 2: 사용한 물도 함부로 버리지 않기'를 행동으로 옮겼네요.

7. 글을 다시 읽고 중요한 낱말을 찾아 빈칸을 채워 보세요.

어휘력 키우기

다지기 (1) 담배 연기는 건강에 나빠요. 빈칸에 어울리는 말은 '해롭다'예요.
(2) 초콜릿은 입속에 들어가면 '저절로' 녹아요.
(3) 남의 물건은 마음 내키는 대로 만지면 안 되지요. 보기 중 어울리는 말은 '함부로'예요.

넓히기 (1) [까닥]으로 소리나지만 '까닭'으로 써야 해요.
(2) '골짜기'로 써야 해요.

24 바가지 꽃

본문 110쪽

1 ⑤ 2 바가지 3 ② 4 ③
5 ① 6 ③ 7 ① 바가지, ② 화분, ③ 박꽃

어휘력 키우기

뜻 (1) ㉠ (2) ㉢ (3) ㉡
다지기 (1) 빙그레 (2) 마침 (3) 둥실둥실
넓히기 (1) 붓기도 (2) 꽃이

1. 선이가 무엇으로 어떤 일을 하고 있는지 잘 살펴보세요. 바가지 하나로 여러 가지 이름을 붙이거나, 여러 가지 놀이를 만들어 내면서 재미있게 노는 장면을 보여 주고 있지요.

2. 같은 물건이 여러 가지 놀이를 할 수 있도록 해요. 그래서 같은 물건인데 이야기에 여러 번 나와요.

3. 이야기의 끝부분을 보세요. 꽃 이름은 하나밖에 안 나와요.

4. 이야기에서 선이가 바가지를 받고 좋아하는 장면을 보세요. 바가지를 받은 뒤에 여러 가지의 재미있는 놀이를 하고 있어요.
   ① 처음 보았는지 알 수가 없어요.
   ② 예쁘게 생겼다고 한 내용이 보이지 않아요.
   ④ 바가지가 없는 집을 떠올리기 어려워요.
   ⑤ 글에 나오지 않은 내용이에요.

5. 선이가 바가지로 여러 이름을 붙였던 걸 생각해 보세요. 바가지 모자, 바가지 자전거, 바가지 배, 바가지 폭포 …. 그러니까 선이는 박꽃에 '바가지 꽃'이라고 이름 붙이겠지요.

6. 얼굴을 가리는 건 가면이에요. 바가지로 얼굴을 가리니 '바가지 가면'이라고 할 수 있겠네요.

7. 바가지를 가지고 하는 여러 놀이를 생각하며 빈칸을 채워 보세요.

어휘력 키우기

다지기 (1) 소리 없이 부드럽게 웃는 모양을 흉내 낸 말은 '빙그레'입니다.
(2) 강을 건너야 하는데 딱 알맞게 배가 있었다고 하네요. 빈칸에는 '마침'이 들어가야 하네요.
(3) 종이배 하나가 물 위에 가볍게 떠 있는 모양을 흉내 낸 말은 '둥실둥실'입니다.

넓히기 (1) '붓다'라는 말에서 나왔어요. '붓기도'라고 써야 해요.
(2) [꼬치]로 소리나지만 '꽃이'로 써야 해요.

25 좋겠다

본문 114쪽

1 ⑤ 2 좋겠다 3 ① 4 ⑤
5 ③ 6 좋겠다
7 ① 꽃잎, ② 좋겠다, ③ 나무, ④ 좋겠다

어휘력 키우기

뜻 (1) © (2) ⓛ (3) ㉠
다지기 (1) 주룩주룩 (2) 소낙비 (3) 방울방울
넓히기 (1) 꽃잎 (2) 씻어

1. 두 부분 중에서 앞부분은 꽃을 보고 느낌을 말하고 있어요. 뒷부분은 나무를 보고 느낌을 말하고 있어요.

2. '느낌'이란, '기쁘다/슬프다, 예쁘다/밉다, 좋다/나쁘다' 등과 같이 무엇을 보거나 듣고 떠오른 마음이에요.

3. 시의 처음에 나온 것을 고르면 되어요.

4. '닦아 주니까', '씻어 주니까'라고 까닭을 말하고 있어요. 닦아 주고, 씻어 주면 깨끗해져요.

5. 시에서 본 대로 답을 골라 보세요.

6. 동생에 대한 부러움을 드러내는 말을 써보세요.

7. 시에서 말하는 이가 부러워하는 것과 그에 대한 느낌을 찾아 써 보세요.

어휘력 키우기

다지기 (1) 굵은 빗줄기가 내리는 소리를 흉내 낸 말은 '주룩주룩'이에요.
(2) 갑자기 쏟아지는 비인 '소낙비'가 빈칸에 어울리겠어요.
(3) 이슬이 맺힌 모습과 어울리는 말은 보기 중 '방울방울'이네요

넓히기 (1) '꽃'과 '입'이 합쳐진 말이에요. '꽃잎'이라고 써야 해요.
(2) '씻다'에서 나온 말이에요. '씻어'라고 써야 해요.

어휘·어법 총정리 5주차

본문 118쪽

어휘 1 빗대다 2 갓난아이
3 저절로 4 함부로
5 빙그레 6 주룩주룩

어법 1 옆으로 2 깊이
3 까닭 4 꽃이
5 꽃잎 6 씻어

6주차

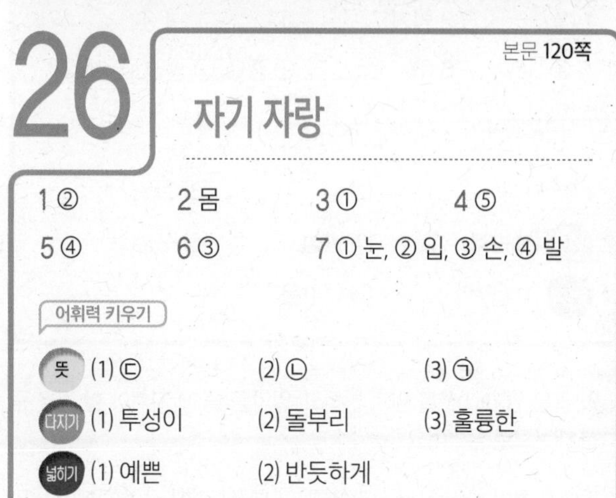

26 자기 자랑

본문 120쪽

1 ② 2 몸 3 ① 4 ⑤
5 ④ 6 ③ 7 ① 눈, ② 입, ③ 손, ④ 발

어휘력 키우기

뜻 (1) © (2) ⓛ (3) ㉠
다지기 (1) 투성이 (2) 돌부리 (3) 훌륭한
넓히기 (1) 예쁜 (2) 반듯하게

1. 무엇을 하고 있는 내용이냐고 물었어요. 몸의 각 부분이 자기 자랑을 하고 있어요.

2. 글이 나온, 눈, 코, 입, 손, 발 등을 합쳐 몸이라고 부르지요.

3. 볼 수 있게 해주는 건 몸 중에서 눈이지요.

4. 입으로 음식을 먹고 코로 냄새를 맡는데 입과 코가 없다면 그것들을 할 수 없겠지요?

5. ① 신고 ② 냄새 ③ 높으신 ⑤ 장난감

6. 귀는 어떤 일을 하나요? 소리를 들을 수 있지요. 아마 귀라면 '내가 있어야 소리를 들을 수 있어!'라고 자랑할 것 같아요.

7. 글을 다시 읽어 보며 흐름을 따라가면 어렵지 않게 빈칸을 채울 수 있어요.

어휘력 키우기

다지기 (1) 흙이 너무 많이 묻은 얼굴이에요. '흙'에 '투성이'를 덧붙인 말이죠.
(2) 발로 툭툭 찰 수 있는 것은 보기 중 '돌부리'뿐이에요.
(3) 짝의 글솜씨가 아주 좋아서 나무랄 곳이 없다는 뜻이에요. 보기 중 어울리는 말은 '훌륭한'이네요.

넓히기 (1) '예쁘다'에서 나온 말이에요. '예쁜'이라고 써야 해요.
(2) '반듯하다'에서 나온 말이에요. '반듯하게'라고 써야 해요.

27 일기 쓰기

본문 124쪽

1 ③　2 일기　3 ①　4 ④
5 ④　6 ①　7 ① 중요, ② 솔직, ③ 생각

어휘력 키우기

뜻 (1) ⓒ　(2) ⓛ　(3) ㉠
다지기 (1) 반복　(2) 반성　(3) 꾸중
넓히기 (1) 옮겨　(2) 똑같은

1. 이 글은 일기의 뜻을 먼저 밝히고, 일기를 쓸 때 지켜야 할 것을 중심 내용으로 삼았어요.
2. 글에서 찾아 한 낱말로 쓰라고 했으니 글에 가장 많이 나타난 낱말이면 되겠네요.
3. 글의 시작은 일기가 무엇인지 답을 하는 내용이에요.
4. 일기를 쓸 때 지켜야 할 것 세 가지를 살펴보세요.
   ① 가장 먼저 기억나는 일이어야 해요.
   ② 매일 똑같이 일어나는 일을 쓴다면 매일 똑같은 내용의 일기가 될 거예요.
   ③ 다른 사람에게 일어난 일이 아니라 나에게 일어난 일을 써요.
   ⑤ 일기는 단순히 사실만 쓰는 글이 아니에요. 자신의 생각과 느낌도 써야죠.
5. 앞에 설명한 내용(일기는 솔직하게 써야)에 대해 이어지는 문장에서 예(꾸며쓰면 안 됨)를 들어가고 있어요.
6. '이 빠진 날'이라는 제목이 있어서 일기의 내용을 짐작할 수 있어요.
7. 일기 쓸 때 지켜야 할 것에 대해 이야기한 부분을 다시 읽고 빈칸을 채워 보세요.

어휘력 키우기

다지기 (1) 어려운 공부를 계속 되풀이하면 나중에 쉬워진다는 거예요. 빈칸에는 '반복'이 들어가야겠네요.
(2) 동생과 싸운 일을 돌이켜보는 것이니, 빈칸에는 '반성'이 어울리겠어요.
(3) 꾸지람을 들으면 기분이 안 좋죠. 더욱이 잘못도 안 했는데 '꾸중'을 들었어요.

넓히기 (1) '옮기다'에서 왔으므로 '옮겨'로 써야 해요.
(2) '똑같다'에서 나온 말이에요. '똑같은'이라고 써야 해요.

28 이가 아파서 치과에 가요.

본문 128쪽

1 ①　2 병원　3 ②　4 ①
5 ⑤　6 외과　7 ① 자라, ② 토끼, ③ 노루

어휘력 키우기

뜻 (1) ㉠　(2) ⓒ　(3) ⓛ
다지기 (1) 마주쳤다　(2) 서둘렀다　(3) 데려다줬다
넓히기 (1) 치과　(2) 데려다주마

1. 토끼가 아픈 자라를 치과로 데려다주려고 합니다. 자라를 데려가다가 토끼가 다리를 다치니까 노루가 나타나 자라와 토끼를 업고 외과에 데려다주려고 합니다.
2. '치과'도 '외과'도 모두 무엇이라고 부르는지 생각해 보세요.
3. 이야기에 나온 동물은 자라, 토끼, 노루이지요. 모두 3마리입니다.
4. 이가 아프다는 자라에게 토끼는 어디에 데려다준다고 했나요?
5. "자라야, 어디 가니?"에 나온 문장 부호를 생각해 보세요.
6. 노루는 다리를 다친 토끼를 외과에 데려다준다고 했어요. 곰도 다리를 다쳤으니 외과에 데려다주겠네요.
7. 글을 다시 읽고 누가 누구를 도와줬는지 찾아 빈칸을 채워 보세요.

어휘력 키우기

다지기 (1) 친구와 우연히 만났다는 뜻이에요. 빈칸에는 '마주쳤다'가 어울리네요.
(2) 기차 시간에 늦을까 봐 바삐 움직였다는 뜻이에요. 보기 중 빈칸에 들어갈 말은 '서둘렀다'예요.
(3) 할머니가 학원까지 함께 가 주었다는 뜻이에요. 보기 중 어울리는 말은 '데려다줬다'예요.

넓히기 (1) '치과'라고 써야 해요.
(2) '데려다주다'에서 나온 말이에요. '데려다주마'라고 써야 해요.

29 무지개 물고기

본문 132쪽

1 ③ 2 무지개 3 ④ 4 ①
5 ⑤ 6 ① 7 ① 쓸쓸, ② 비늘

어휘력 키우기

뜻 (1) ㉡ (2) ㉢ (3) ㉠
다지기 (1) 감탄했다 (2) 일러바쳤다 (3) 쓸쓸했다
넓히기 (1) 좋아하지 (2) 가만히

1. 무지개 물고기가 겪은 일을 간추리면서 떠올릴 수 있는 깨달음을 생각해봐요. 잘난 체하며 다른 물고기를 무시하다가 따돌림을 당했는데, 비늘을 다른 물고기에게 나누어 줌으로써 기쁨이 커지고 편안해졌다고 하네요.

2. 물고기 이름 중에서 세 칸을 채울 수 있는 것을 글에서 찾아봐요.

3. 처음에는 불가사리를 찾아갔는데 도움을 줄 수 없다며, 문어 할머니에게 가보라고 했어요. 문어 할머니를 찾아갔더니, 기다렸다는 듯이 무지개 물고기가 행복해질 수 있는 길을 일러줬어요.

4. 다른 물고기들이 말을 붙여 와도 대꾸도 없이 지나치는 모습에서 남을 무시하고 잘난 체하는 태도를 알 수 있어요.

5. '파란 물고기는 좋아서 물거품을 보글보글 내뿜으며 반짝이 비늘을 파란 비늘 사이에 끼웠습니다.'라고 나온 것처럼 거품이 계속 작고 빠르게 일어나는 소리를 흉내 낸 말은 보글보글이에요.

6. 나눔과 함께 하는 기쁨을 알게 된 무지개 물고기라면 어떤 말을 할까요?

7. 이야기를 다시 읽고 주인공의 이름과 주인공에게 일어난 일들을 생각하며 빈칸을 채워 보세요.

어휘력 키우기

(1) 외국인이 한복의 아름다움에 대해 어떤 느낌을 가졌을까요? 빈칸에 어울리는 말은 보기 중 '감탄했다'예요.

(2) 나의 거짓말을 엄마에게 알렸네요. 빈칸에 들어갈 말은 '일러바쳤다'예요.

(3) 놀이터에 혼자 남으면 마음이 어떤가요? 쓸쓸하지요.

(1) [조아하지]로 소리나지만 '좋다', '좋아하다'에서 온 말이므로 '좋아하지'로 써야 해요.

(2) [가마니]로 소리나지만 '가만히'로 써야 해요.

30 둘이서 둘이서

본문 136쪽

1 ② 2 둘이서 둘이서 3 ④
4 ① 5 ④ 6 ⑤
7 ① 통나무, ② 물, ③ 시소, ④ 겨울

어휘력 키우기

뜻 (1) ㉡ (2) ㉠ (3) ㉢
다지기 (1) 기우뚱기우뚱 (2) 새근새근 (3) 휘청휘청
넓히기 (1) 어떻게 (2) 되잖아

1. 1~4번째 묶음(연)까지 반복하여 말한 내용이에요. 힘든 일이라도 함께하면 즐겁고 힘들지 않다고 했지요.

2. '서로'가 시에 두 번 나왔지만 세 칸을 채울 수 없어요. 시에 나온 말 중에서 우선 세 칸을 채울 수 있는 낱말을 찾아서 그걸 두 번 사용하여 제목으로 알맞은지 살펴봐야겠네요.

3. 첫 번째 묶음(연)은 무거운 통나무를 어떻게 옮길지 묻는 것으로 시작했네요.

4. 겨울은 원래 춥고 차가운 계절이지만 함께 하면 마음만은 따뜻할 거예요.

5. 네 번째 묶음에 나온, '새근새근', '콜콜'은 모두, 아기나 작은 아이가 잠을 잘 때 내는 소리를 흉내 낸 말이에요.

6. 혼자 들기 무거운 물건은 둘이서 들면 되지요.

7. 시를 다시 보고 둘이서 하면 좋은 것들을 찾아 빈칸을 채워 보세요.

어휘력 키우기

(1) 배가 파도에 이쪽저쪽 기울어지며 흔들리는 모양을 흉내 낸 말은 '기우뚱기우뚱'이에요.

(2) 어린아이가 잠들어 조용히 숨 쉬는 소리를 흉내 낸 말은 '새근새근'이에요.

(3) 피곤한 아빠가 걷는 모습을 생각해 보세요. 피곤하니까 힘이 없어서 똑바로 걷지 못하고 기우뚱거리며 자꾸 흔들리며 걷겠죠.

넓히기 (1) [어떠케]로 소리나지만 '어떻게'로 써야 해요.

(2) [되자나]로 소리나지만 '되잖아'로 써야 해요.

어휘·어법 총정리 6주차

본문 140쪽

어휘
1 돌부리 2 꾸중
3 서두르다 4 일러바치다
5 쓸쓸하다 6 새근새근

어법
1 예쁜 2 똑같은
3 치과 4 좋아하지
5 옮기나 6 되잖아

7주차

31 세상에서 가장 힘이 센 말

본문 142쪽

1 ⑤ 2 말 3 ⑤ 4 ④
5 ③ 6 ②
7 ① 힘, ② 미안해, ③ 괜찮아, ④ 힘내

어휘력 키우기

뜻 (1) ㉡ (2) ㉠ (3) ㉢
다지기 (1) 다물었다 (2) 달아났다 (3) 괜찮다
넓히기 (1) 괜찮아 (2) 끝

1. 각 문단의 첫머리에 놓여 있는 것과 같은 말을 하자는 거예요. 이 말들은 모두 듣는 사람의 기분을 좋게 하고, 힘을 북돋우는 것들이네요.

2. '고마워', '미안해', '괜찮아', '힘내'라는 말들은 다른 사람에게 힘을 주는 말이예요.

3. 글을 읽으면서 ①~⑤의 말이 나오는지 안 나오는지 따져 보세요.

4. 1문단을 새겨읽어 보면 알 수 있어요. '고마워'라는 말을 들으면, 더 도와주고 싶은 마음이 들지 않을까요?

5. 2문단을 잘 살펴보세요. '입을 꾹 다물게 하는 마음이'에서 '다물다'의 뜻을 알 수 있어요.

6. 친구에게 실수했네요. 어떤 말을 해야 친구의 기분이 풀릴까요?

7. 문단마다 다른 사람의 기분을 좋게 하는 말을 찾아보세요.

어휘력 키우기

다지기 (1) 삐친 동생이 입을 닫고 있었다는 뜻이네요. 빈칸에는 '다물었다'가 들어가야겠어요.
(2) 자다가 전화 울리는 소리를 들으면 잠이 달아나기도 해요.
(3) 이 버섯은 먹어도 문제가 없다는 뜻이에요. 보기 중 어울리는 말은 '괜찮다'예요.

넓히기 (1) '괜찮다'에서 나온 말로, '괜찮아'라고 써야 해요.
(2) '끝'이라고 써야 해요. 받침에 주의하세요.

32 생각 나타내기

본문 146쪽

1 ⑤ 2 문장 3 ①
4 강아지가 꼬리를 흔듭니다. 5 ②
6 ⑤ 7 ① 묶음, ② 묻는, ③ 함께

어휘력 키우기

뜻 (1) ㉢ (2) ㉡ (3) ㉠
다지기 (1) 드러내는 (2) 시켰다 (3) 묶음
넓히기 (1) 묶음 (2) 드러낼

1. 문장의 뜻과 여러 종류에 대해 설명하고 있어요.

2. 가장 많이 나오는 낱말을 찾아보세요.

3. 어떤 일을 설명하는 문장이 풀이하는 문장이지요.

4. 낱말을 알맞은 순서로 모은 문장을 만들어야 완전한 뜻을 전할 수 있어요. '꼬리를/흔듭니다/강아지가'를 알맞은 순서로 놓으면 '강아지가 꼬리를 흔듭니다.'가 됩니다.

5. 문장은 마침표(.), 물음표(?), 느낌표(!) 등의 문장 부호로 끝나요. 우리가 읽은 글을 보면 틀림없이 그렇죠.

6. '집 앞 공원에서 산책하자'는 '함께 하자'는 뜻이지요.

7. 글에서 문장의 뜻과 종류에 대해 알려 주는 중요한 낱말을 찾아 빈칸을 채워 보세요.

어휘력 키우기

다지기 (1) 결코 속마음을 겉으로 나타내어 알게 하지 않는다는 뜻이에요. 빈칸에 어울리는 말은 '드러내는'이에요.
(2) 심부름과 어울리는 낱말은 보기 중 '시켰다'예요.
(3) 시험지, 종이와 어울리는 낱말은 보기 중 '묶음'이에요.

넓히기 (1) '묶음'을 소리 나는 대로 쓰면 [무끔]이에요.
(2) '드러내다'에서 온 말이므로 '드러낼'로 써야 해요.

33 운동과 건강

본문 150쪽

1 ⑤ 2 운동 3 ② 4 ④
5 ① 6 ⑤ 7 ① 허파, ② 심장, ③ 튼튼

어휘력 키우기

뜻 (1) ㉠ (2) ㉢ (3) ㉡

다지기 (1) 충분히 (2) 건강 (3) 훨씬

넓히기 (1) 폐활량 (2) 세게

1. 앞의 세 문단은 운동이 몸을 건강하게 한다는 것이에요, 끝 문단은 운동이 마음을 건강하게 한다는 내용이에요. 이들 두 가지 내용을 모두 포함하는 것을 골라 보세요.

2. 가장 많이 나온 낱말 두 개를 생각해 보세요.

3. 글에 유산소 운동의 예로 '줄넘기나 달리기, 수영, 축구'가 나왔어요. 공부는 운동이 아니지요.

4. 다음 문장에 '심장이 한 번 뛸 때 충분히 많은 혈액(피)을 온몸으로 보낼 수 있다는 뜻이지요.'라고 나와요. 그래서 심장이 뛰는 수가 훨씬 적어도 괜찮은 것입니다.

5. '많다-적다', '크다-작다'는 서로 반대되는 뜻이지요. 반대의 짝을 뜻을 새겨가면서 잘 기억해 두세요.

6. 위의 글을 읽고 운동과 건강의 관계를 알았으므로, 새로 알게 된 내용을 받아들여 알맞게 말해야 해요.

7. 운동이 우리 몸에 주는 좋은 영향을 생각하며 빈칸을 채워 보세요.

어휘력 키우기

다지기 (1) 아플 때는 모자람이 없이 오래 쉬어야 해요. 빈칸에 들어갈 말은 '충분히'겠네요.
(2) 가장 중요한 건 '건강'하게 자라는 거예요.
(3) 평지를 걷는 것보다 오르막으로 된 산길을 오르는 것이 더 힘들겠지요.

넓히기 (1) 폐활량 : 사람이 한 번 공기를 최대한 들이마셨다가 내뿜을 수 있는 가스의 최대량.
(2) '세다'에서 나온 말입니다. '세게'라고 써야 해요.

34 유관순

본문 154쪽

1 ② 2 유관순 3 ② 4 ④
5 ③ 6 ⑤ 7 ① 만세, ② 유관순, ③ 죽음

어휘력 키우기

뜻 (1) ㉢ (2) ㉡ (3) ㉠

다지기 (1) 되찾았다 (2) 빈틈없이 (3) 꿋꿋이

넓히기 (1) 빈틈없이 (2) 꿋꿋이

1. 글에 나온 말로 간추려 보아요. 끝 문단에 글의 내용을 간추린 구절이 나와요.

2. 거듭하여 가장 자주 나온 인물의 이름을 쓰세요.

3. 3월 1일이죠. 글에도 나오고, 오늘날도 삼일절을 기념하고 있어요.

4. 유관순은 고향에 내려와 만세 운동을 이끌었어요. '아우내 장터에 모인 3,000여 명의 사람들이 유관순을 따라 다 같이 만세를 불렀어요.'라고 나오네요.
① 일본에서는 독립 선언을 했어요.
② 서울에서는 학교만 다녔어요. 충청남도에서 태어났다고 첫줄에 나와요.
③ 글에는 나오지 않아서 글만 읽고는 알 수 없는 내용이에요. 실제로는 만세 운동으로 나라를 되찾지는 못했어요.
⑤ 일본 헌병이 우리나라 사람들을 향해 총을 마구 쏘아서 많은 사람이 목숨을 잃었다고 나와요.

5. 아우내 장터에서 유관순이 사람들과 함께 만세를 외쳤다고 나왔어요. 장터는 사람들이 물건을 사고파는 장이 서는 곳이에요. 사람들이 많이 모일 수 있는 곳이지요.

6. 이 글에도 나오지만, 독립을 위해 애쓰며 목숨을 바친 점이 사람들에게 본보기가 되는 것이지요. 보통 사람이 하기 힘든 일이니까요.

7. 이야기를 다시 읽어 보고 중요한 낱말들을 찾아 빈칸을 채워 보세요.

어휘력 키우기

다지기 (1) 잃어버렸던 연필을 다시 갖게 되었다는 뜻이에요. 빈칸에는 '되찾았다'라는 말이 와야 하겠네요.
(2) 계획을 어떻게 세웠다는 걸까요? 빈칸에는 '빈틈없이'라는 말이 어울리네요.
(3) 어려움 속에서도 희망과 의지를 가지고 굳세게 살아간다는 뜻이에요. 빈칸에는 '꿋꿋이'라는 말이 어울립니다.

넓히기 (1) '빈틈없이'라고 써야 합니다. '없'의 받침에 주의하세요.
(2) '꿋꿋이'라고 써야 합니다.

35 두껍아 두껍아

본문 158쪽

1 ⑤ 2 두꺼비 집 3 ① 4 ④
5 ② 6 ③
7 ① 흙집, ② 개미, ③ 황소, ④ 토끼

어휘력 키우기

뜻 (1) ㉠ (2) ㉢ (3) ㉡
다지기 (1) 나르니 (2) 무너진 (3) 길었다
넓히기 (1) 흙 (2) 밟으면

1. 모습을 떠올릴 수 있는 부분은 2, 4묶음이에요. 두꺼비가 다른 동물들과 함께 집을 짓는 모습을, 반복되는 말을 여러 군데에 두면서 재미있게 엮은 노래예요.
2. 이 놀이는 바닷가나 강가의 모래가 쌓인 곳에서 해요. 왼손 또는 오른손을 모래 속에 파묻고 '두껍아 두껍아 흙집 지어라'를 부르며, 그 손이 묻힌 모래 위를 두드리며 놀아요.
3. 두 번째 묶음에서 '개미는 흙 나르고 황새는 물 긷고'라고 나오네요.
4. '황소가 밟아도 따안딴'이라고 했으니 튼튼하다는 느낌이 들지요.
5. '앉, 닭, 흙……'의 받침처럼 서로 다른 글자로 되어 있는 것을 겹받침이라고 해요.
6. 손등 위의 모래가 흩어지지 않도록 손바닥으로 두꺼비집을 꼭꼭 다져줘야 무너지지 않겠죠. 누가 두꺼비집을 짓고 있으면, 더 단단하게 지으라고 옆에서 손바닥으로 다져줄 수 있겠네요.
7. 시에서 중요한 낱말들을 찾아 빈칸을 채우세요.

어휘력 키우기

다지기 (1) 짐을 '다른 곳으로 옮기는 것'을 나타내는 말이 들어가야 합니다.
(2) '돌담'을 꾸며 주는 말로 어울리는 말은 보기 중 '무너진'입니다.
(3) 우물에서 '물을 바가지로 떠 내는 것'을 나타내는 말이 들어가야 합니다.

넓히기 (1) '흙'을 소리 나는 대로 쓰면 [흑]입니다. 받침에 주의하세요.
(2) '밟다'에서 나온 말이에요. '밟으면'이라고 받침에 주의해서 써야 합니다.

어휘·어법 총정리 7주차

본문 162쪽

어휘 1 다물다 2 시키다
3 빈틈없이 4 되찾다
5 나르다 6 무너지다

어법 1 괜찮아 2 끝까지
3 있어요 4 빈틈없이
5 꿋꿋이 6 밟아도

8주차

36 누구를 보낼까요?

본문 164쪽

1 ③ 2 별나라 3 ① 4 ④
5 ④ 6 ⑤ 7 ① 지구, ② 사랑, ③ 생생

어휘력 키우기

뜻 (1) ㉢ (2) ㉠ (3) ㉡
다지기 (1) 신기하다 (2) 끄덕였다 (3) 생생하다
넓히기 (1) 초대장 (2) 여러분께

1. 세 동물이 나서서 제각기 까닭을 들어가면서 자기주장을 하고 있어요. 까닭은 제각기 다르지만, 주장은 '지구를 대표하여 별나라에 가야 한다.'로 모두 같아요.
④ 아기 곰의 주장이에요.
⑤ 원숭이의 주장이에요.
2. 지구의 대표를 보내야 할 곳이 어디인가요? 초대장을 보내온 곳이지요.
3. 글의 첫머리에 받아 본 것이 무엇인지 나오네요.
4. 세 동물은 듣는 동물들이 자신을 보내야 한다고 생각하도록 제각기 까닭을 들어 말했어요.
5. 앞의 내용은 거북 할아버지가 지구에 대해 제일 잘 안다고 하는 내용이에요. 뒤의 내용은 거북 할아버지가 별나라에 가야 한다는 내용이고요. 앞의 내용이 뒤에 오는 내용의 까닭이 되네요. 이럴 때 쓸 수 있는 낱말은 '그러니까'예요.
6. 자신의 의견을 말한 동물의 말을 듣고, 다른 동물들은 고개를 끄덕였어요. 이렇게 말하는 친구의 생각을 잘 듣고 활발하게 반응하는 것은 아주 좋은 태도예요.
7. 글에서 세 동물의 각 주장을 살펴보고 빈칸을 채워 보세요.

어휘력 키우기

다지기 (1) 마술에 대한 느낌을 나타내는 말은 무엇일까요?
(2) 선생님의 말씀에 아이들이 고개를 가볍게 움직였다는 뜻이에요. 빈칸에 어울리는 말은 '끄덕였다'예요.
(3) 어릴 때의 기억이 아직도 눈앞에 보이는 것처럼 또렷하다는 뜻이에요. 빈칸에는 '생생하다'가 들어가야 하겠네요.

넓히기 (1) '초대장'이라고 써야 해요. 소리 나는 대로 [초대짱]이라고 쓰면 안 돼요.
(2) '할머니께, 선생님께'처럼 '여러분께'라고 써야 해요.

37 한글

본문 168쪽

1 ③　2 한글　3 ④　4 ④
5 ②　6 ⑤　7 ① 까닭, ② 자음, ③ 모음

어휘력 키우기

뜻 (1) ㉢　(2) ㉠　(3) ㉡
다지기 (1) 정확하다　(2) 비슷하다　(3) 짐작했다
넓히기 (1) 알려져　(2) 대단히

1. 한글이 언제 누구에 의해 만들어졌는지, 만든 까닭을 말했어요. 이어서 자음과 모음의 글자를 만든 원리를 설명했어요.

2. 글감은 항상 가장 자주 나타난 낱말을 찾으면 돼요.

3. '내가 이런 사정을 딱하게 여겨 새로 28자를 만들었다.'라고 나오네요.

4. 둘째 문단의 내용에 따라 왜 좋은 글자인지 곰곰이 생각해 보세요. '세종대왕은 백성들이 쉽게 배우고 쉽게 쓸 수 있는 우리 글자를 만든 거예요.'라고 글에 나와요.

5. 글에서 소리가 나는 입과 목의 위치를 본떠 자음의 기본 글자를 만들었다고 했어요.

6. 곰곰이 생각해 보세요. 'ㅗ'는 하늘의 둥근 모양을 본뜬 '·'와 땅의 평평한 모양을 본뜬 'ㅡ'를 합쳐 만들었죠. 또 'ㅡ' 위에 '·'를 올리면 'ㅗ'가 만들어지는 것이죠.

7. 글을 다시 읽고 한글에 대해 설명한 주요 낱말을 찾아 빈칸을 채워 보세요.

어휘력 키우기

다지기 (1) 시계의 시침, 분침, 초침이 바르게 시각을 가리킨다는 뜻이에요. 빈칸에는 '정확하다'가 들어가야 해요.
(2) 얼굴 생김새가 닮은 점이 많다는 뜻이에요. 빈칸에는 '비슷하다'가 어울리네요.
(3) 목소리를 들으면 친구의 마음을 어림잡아 헤아릴 수 있지요. 보기 중 어울리는 말은 '짐작했다'네요.

넓히기 (1) '알려져'라고 써야 해요.
(2) [대다니]로 소리나지만 '대단히'로 써야 해요.

38 자연은 발명왕

본문 172쪽

1 ⑤　2 자연　3 ②　4 ④
5 ①　6 ①　7 ① 빨판, ② 낙하산, ③ 가시

어휘력 키우기

뜻 (1) ㉡　(2) ㉠　(3) ㉢
다지기 (1) 본떠서　(2) 위대한　(3) 떼어서
넓히기 (1) 붙어　(2) 많이

1. 이 글에서는 글 전체의 중심 내용을 끝 문단에서 간추려 놓았어요. '이렇게 우리 주변에는 동물이나 식물을 본떠 만든 발명품이 많습니다.'에서 볼 수 있지요.

2. '발명왕'이 나온 구절을 찾아보세요. 그러면 들어갈 낱말이 쉽게 떠오를 거예요.

3. 첫 문단에 흡착판은 문어의 빨판을 본뜬 것이라고 했어요.

4. 글을 다 읽고 난 후, '나도 자연을 본떠 발명할 수 있다.'는 내용을 떠올려 볼 수 있겠지요.

5. 그냥 보기만 한다는 뜻이 아니라 보고 본뜬다는 뜻이겠죠.

6. 단풍나무 씨앗을 잘 살펴보면 닮은 물건을 찾을 수 있을 것입니다.

7. 글을 잘 살펴보면 자연을 본떠 만든 발명품을 찾을 수 있습니다.

어휘력 키우기

다지기 (1) 연꽃을 본으로 삼아 만든 무늬를 본 적이 있나요? 아주 아름다워요. 연꽃을 본떠서 만들었기 때문이에요.
(2) 사랑하는 사람을 위해 무엇이든지 할 수 있다고 해요. 이처럼 사랑의 힘은 뛰어나고 훌륭해요. 위대하다고 할 수 있지요.
(3) 밥알을 따로 떨어지게 했다는 말이네요. '떼어서'가 들어가야 문장이 완성되어요.

넓히기 (1) '부터'로 소리나지만 '붙다'에서 온 말이므로 '붙어'로 써야 해요.
(2) '마니'로 소리나지만 '많다'에서 온 말이므로 '많이'로 써야 해요.

39 이순신

본문 176쪽

1 ③　2 이순신　3 ①　4 ④
5 ②　6 ⑤　7 ① 거북선, ② 죽음

어휘력 키우기

뜻 (1) ㉡　(2) ㉢　(3) ㉠
다지기 (1) 총명　(2) 패　(3) 승리
넓히기 (1) 싫어　(2) 잃고

1. 온갖 어려움을 겪으면서 나라를 위해 목숨까지 바친 이순신 장군의 삶이 감동을 주는 내용이에요.
2. 글에 거듭하여 나타난 이름을 찾아보세요.
3. 처음 간 곳은 우리나라 북쪽 끝인 이곳이라고 했어요.
4. 이순신은 노량 앞바다 전투에서 세상을 떠났어요. 글의 끝부분에서 짐작할 수 있어요.
① 친척임을 알 수 있도록 해 주는 내용이 없어요.
② 두 번씩이나 왜군에 패하는 것으로 보아 능력이 뛰어나다고 할 수 없어요.
③ 왜적이 쳐들어오니까 피란 갔다는 내용만 나옵니다.
⑤ 바다가 왜군의 차지가 되어서 이순신이 다시 바다에 가게 된 거예요.
5. '이순신은 거북선을 이용하여 바다에서의 싸움을 모두 승리로 이끌었어요.'라고 나오네요.
6. 5문단과 6문단을 다시 읽어보세요.
7. 글에서 이순신 장군의 삶을 보여 주는 중요한 낱말을 찾아 빈칸을 채워 보세요.

어휘력 키우기

다지기 (1) 한번 들은 얘기는 잊지 않을 정도로 영리하고 기억력이 좋다는 뜻이에요. 빈칸에는 '총명'이 어울리네요.
(2) '아쉽게'라는 말과 어울리는 말은 '졌다'라는 뜻을 나타내는 '패'겠지요.
(3) '다행히도'와 어울리는 말은 보기 중 '승리'예요.

넓히기 (1) '싫다'에서 나온 말이므로 '싫어'로 써야 해요.
(2) '잃다'에서 나온 말이에요. 받침에 주의해서 '잃고'라고 써야 해요.

40 달팽이

본문 180쪽

1 ③　2 달팽이　3 ①　4 ③
5 ①　6 ①　7 ① 집, ② 자물쇠, ③ 걱정

어휘력 키우기

뜻 (1) ㉠　(2) ㉡　(3) ㉢
다지기 (1) 지고　(2) 저물고　(3) 걱정
넓히기 (1) 없네　(2) 걱정

1. 두 번째 묶음과 네 번째 묶음이 똑같은 모양으로 거듭 나타나 중심 내용을 싣고 있어요. 달팽이가 껍데기를 지고 다니는 모습이 신기해서 여러 생각을 하며 글로 옮겨놓고 있네요. 껍데기를 지고 다닌다고 하지 않고 집을 지고 다닌다고 했어요.
2. 세 칸으로 된 동물의 이름이 시에 하나밖에 안 나와요.
3. 달팽이가 늘 지고 다니는 것은 집이지요.
4. 시에 나온 말을 바탕삼아 떠올릴 수 있는 것을 골라야 되어요. 집을 지고 다닌다고 했으니까, 천천히 움직일 수밖에 없죠.
5. '달팽이는'이 여섯 번 나와요. ② 둘째 묶음에 한 번 나오네요. ③ 둘째 묶음에 두 번 나와요. ④ 넷째 묶음에 두 번 나와요. ⑤ 첫째 묶음과 셋째 묶음에 각각 한 번씩, 모두 두 번 나옵니다.
6. 달팽이는 집을 지고 다니니까 아주 천천히 다니겠죠? 어울리는 낱말을 찾아보세요.
7. 시에서 중요한 낱말을 찾아 빈칸을 채워 보세요.

어휘력 키우기

 다지기 (1) 커다란 가방을 짊어서 등에 얹었다는 뜻이에요. 빈칸에 어울리는 말은 '지고'예요.
(2) 해가 져서 어두워졌다는 뜻인 '저물고'가 빈칸에 어울리죠.
(3) 동생이 몸이 약하면 '걱정'이 되겠지요?

 넓히기 (1) '없다'라는 말에서 나왔어요. 받침에 주의해서 '없네'라고 써야 해요.
(2) '걱정'을 '걱쩡'이라고 쓰면 안 돼요.

어휘·어법 총정리

8주차

본문 182쪽

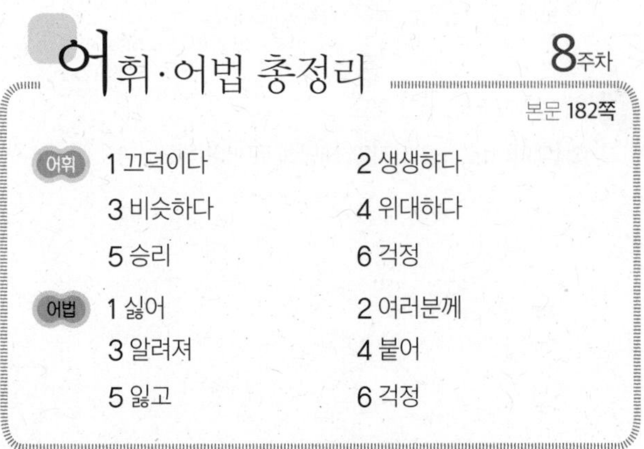

어휘 1 끄덕이다　2 생생하다
3 비슷하다　4 위대하다
5 승리　6 걱정

어법 1 싫어　2 여러분께
3 알려져　4 붙어
5 잃고　6 걱정

한국교육산업대상
6회연속수상

고객만족경영
대상수상

한국일보선정
히트상품인증

전통과 신뢰의 기업

KILE 한국학력평가원

영역	회/주차	1번 (주제찾기)	2번 (제목(글감)찾기)	3번 (사실이해)	4번 (미루어알기)	5번 (세부내용)	6번 (적용하기)	7번 (요약하기)
산문 문학 ( ) /56개	1/04							
	2/09							
	3/14							
	4/19							
	5/24							
	6/29							
	7/34							
	8/39							
	소계	( )/8개	( )/8개	( )/8개	( )/8개	( )/8개	( )/8개	( )/8개
운문 문학 ( ) /56개	1/05							
	2/10							
	3/15							
	4/20							
	5/25							
	6/30							
	7/35							
	8/40							
	소계	( )/8개	( )/8개	( )/8개	( )/8개	( )/8개	( )/8개	( )/8개
총계		( )/40개	( )/40개	( )/40개	( )/40개	( )/40개	( )/40개	( )/40개

※ 이 책의 모든 문항과 유형은 동일 번호(1번→주제찾기, 2번→제목(글감)찾기, 3번→사실이해, 4번→미루어알기, 5번→세부내용, 6번→적용하기, 7번→요약하기)로 통일되어 있습니다.

※ 이 표가 완성되면 자신의 취약 영역과 취약 유형이 한눈에 파악됩니다.

※ 취약 유형은 '문제 유형별 7가지 독해 비법(본책 4-5쪽)'을 다시 한번 숙지하고 다음 단계로 넘어가길 바랍니다.